DANIEL KIEFFER

Naturopathie pratique

Les 24 *heures de l'*Homme *heureux*

jouvence
EDITIONS

Du même auteur aux Éditions Jouvence

Régénération intestinale, 2005

Extraits du catalogue Jouvence

Petit traité de naturopathie…, Christopher Vasey, 2007
Un cœur en forme, Dr Franck Senninger, 2007
Ressources, Rosette Poletti & Barbara Dobbs, 2006
Un cerveau efficace, Dr Franck Senninger, 2006
Kousmine gourmande, Suzanne Preney & Brigitte Favre, 2005
Alimentation sans gluten et sans laitages, Marion Kaplan, 2005
La bio malmenée, Jacques-Pascal Cusin, 2005
L'art de jeûner, Dr Françoise Wilhelmi de Toledo, 2005
Prenez soin de vous, n'attendez pas que les autres le fassent !, Jean-Jacques Crèvecœur & Ananou Thiran, 2004
Régénérez votre foie !, Sandra Cabot, 2004
La crème Budwig, Dr Philippe-Gaston Besson, 2001
Les bains dérivatifs, France Guillain, 1995
Les 5 piliers de la santé, Association médicale Kousmine internationale, 1993
Manuel de détoxication, Christopher Vasey, 1990
La méthode Kousmine, Association médicale Kousmine internationale, 1989

CATALOGUE GRATUIT SUR SIMPLE DEMANDE
ÉDITIONS JOUVENCE

France : BP 90107 – 74161 Saint-Julien-en-Genevois Cedex
Suisse : CP 184 – 1233 Genève-Bernex
Site internet : **www. editions-jouvence.com**
E-mail : info@editions-jouvence.com

Couverture : Dynamic 19, Thonon-les-Bains (74)
Illustration de couverture : Jean Augagneur
Composition : Nelly Irniger, Fillinges (74)

La naturopathie au quotidien

ISBN 978-2-88353-592-3

21 sept. 07

SOMMAIRE

AVERTISSEMENT

L'auteur comme l'éditeur ne sauraient être tenus pour responsables des conséquences éventuelles d'une maladroite automédication ou d'une mauvaise compréhension des conseils contenus dans ce livre.

La législation française attribue au seul docteur en médecine le droit de diagnostic et de traitement des maladies. Les éléments contenus dans cet ouvrage doivent donc, le cas échéant, s'inscrire en parfait *respect* et *complémentarité* des protocoles thérapeutiques médicaux en cours.

L'auteur tient à préciser qu'il n'entretient aucune relation de privilège commercial à l'égard des marques ou personnes citées dans cet ouvrage. Le choix des produits présentés et l'enthousiasme avec lequel sont rédigés certains commentaires ne tiennent qu'à son expérience professionnelle ou à la rigueur scientifique des documents consultés. Ses activités de praticien de santé, d'enseignant, de conférencier ou d'auteur demeurent donc totalement indépendantes de quelque forme de pression que ce soit.

Le statut administratif des compléments nutritionnels est très complexe et évolutif, en France comme en Europe. Il est clair que bien des aliments, consommés gastronomiquement ou sous la forme de concentrés ou d'extraits (jus, comprimés, gélules...) offrent des qualités hygiéno-thérapeutiques traditionnellement connues, sans pour autant devenir des « médicaments », mais plutôt des « alicaments ».

Aussi, si des passages de ce livre développent d'éventuelles qualités thérapeutiques, c'est qu'ils font soit référence à la tradition populaire, soit à des textes d'archives scientifiques, propriété des laboratoires et réservés à la recherche ou à une consultation professionnelle.

INTRODUCTION

De la conjugaison du bonheur et de la naturopathie…

« *La journée de l'Homme heureux* » pourra peut-être évoquer chez le lecteur un programme estival rimant avec bien-être, liberté, vacances, forme optimum, épanouissement personnel. Pour moi, cette petite phrase évoque avant tout le souvenir ému de mes premières expériences de naturopathie, encadrées par celui qui fut mon premier parrain en cette discipline, mon regretté ami Claude Barreau.

C'est dans un domaine de rêve du petit village du Thor dans le Vaucluse – le cœur n'embellit-il pas souvent les mémoires qu'il préserve ? – que, dans les années 70, je mis en pratique ce qui nourrira rapidement toute une vie de passion : cures de raisin, végétarisme, massages aux huiles essentielles, yoga, respirations, méditation, jardinage, découverte de la flore thérapeutique, du naturisme…

Dans son livre[1], Claude Barreau invitait déjà à cette quête du bonheur simple et authentique, dans l'esprit de l'Abbaye de Thélème, à propos de laquelle Jean Renoir disait que : « *Le bonheur, c'est peut-être de se soumettre à l'ordre naturel.* »

Mais est-il heureux,
- celui qui ne fait que posséder des objets, de l'argent, des partenaires, des croyances ou du pouvoir ?
- celui qui ne sait questionner qu'à l'aide de *comment* et jamais de *pourquoi* ?
- celui qui ne jouit que de *l'avoir* et ne connaît pas *l'être* ?
- celui qui vit dans les regrets du passé ou les désirs du futur ?

Pour satisfaire notre soif de bonheur le plus profond, il m'apparaît que nous devons entreprendre une démarche de réconciliation pour tenter de sortir du divorce et des dichotomies entretenant la dualité dans nos existences : la racine *jug* du mot *yoga* n'a pas d'autre sens, et l'on retrouve cette allusion dans des mots comme *joug, joint, conjoint, conjugal, conjuguer, jouxter,* voire *religieux.*

Se réconcilier avec soi, avec autrui, avec la nature, avec l'univers et ses lois suppose donc un oui articulé paisiblement du fond de notre lâcher-prise… tel le *fiat* de Marie.

Or, cette soumission, telle une respiration sans entrave, n'est jamais austère, n'en déplaise aux intégristes de l'hygiénisme pur et dur, car l'ascèse la plus juste est toujours une joie pour le sage. Le bonheur devient ainsi conscience de croître, participant à la fois de l'ordre du relatif égotique (mon bonheur, je suis heureux à cause de…) et surtout de l'ordre de

[1] Claude Barreau, *Le manuel de la vie naturelle,* Éditions Belfond, 1985.

l'absolu transpersonnel, *bonheur-état de conscience,* bonheur sans autre condition que d'être présent au présent et, selon nos formules fétiches, d'avoir *les pieds sur terre, la tête dans les étoiles, le cœur avec les hommes.*

La naturopathie exactement

Notre art se veut ainsi l'art de conserver, optimiser ou recouvrer la santé par des moyens appartenant essentiellement à cet ordre naturel.

« Fondée sur le principe de l'énergie vitale de l'organisme, la naturopathie rassemble les pratiques issues de la tradition occidentale et repose sur les dix agents naturels de santé. Elle vise à préserver et optimiser la santé globale de l'individu, sa qualité de vie, ainsi qu'à permettre à l'organisme de s'autorégénérer par des moyens naturels. »

Cette définition, adoptée par notre fédération nationale de naturopathie[2], met en évidence l'essence de notre corporation : un corps professionnel d'éducateurs de santé et de biothérapeutes qui, solidement formés, œuvrent dans le champ des « médecines non conventionnelles » (expression retenue par la CEE) ou des « médecines traditionnelles » (pour l'OMS), toujours en respectueux partenariat avec les praticiens médicaux et paramédicaux.

Pour bref rappel, les dix agents naturels de santé ou techniques évoqués plus haut sont les suivants :

[2] FENAHMAN – BP 40 027 – F-64210 Bidart
Tél. : +33 (0)5 59 41 81 09 – E-mail : fenahman@free.fr
Site : http://fenahman.org.

1 • **L'alimentation ou l'hygiène nutritionnelle** : diététique, nutrition, cures saisonnières…

2 • **La psychologie ou l'hygiène neuropsychique** : relaxation, gestion du stress, hygiène relationnelle, relation d'aide, psychothérapie brève, sophrologie…

3 • **Les exercices physiques ou l'hygiène musculaire et émonctorielle** : gymnastique douce, culture physique, yoga, stretching, danse, arts martiaux, bicyclette, natation…

Ces trois premières techniques, dites majeures, sont ainsi considérées comme *nécessaires et suffisantes* à l'entretien de la santé. Dans la plupart des cas, la situation de santé implique toutefois d'avoir recours à d'autres outils hygiéniques ou thérapeutiques, nos sept techniques secondaires :

4 • **L'hydrologie** : utilisation de l'eau chaude, froide, tiède, alternée… locale, générale… interne, externe… douches, bains, thalassothérapie et thermalisme, argiles…

5 • **Les techniques manuelles (jadis nommées chirologie)** : massages non médicaux de type californien, coréen, Amma, onctions aromatiques…

6 • **Les techniques réflexes ou la réflexologie** : appliquées au pied, à l'oreille, au nez, au dos… shiatsu, méthodes de Knap, de Jarricault…

7 • **Les techniques respiratoires (jadis nommées pneumologie)** : empruntées au yoga, aux arts martiaux… méthodes de Plent, de Jacquier, ionisations…

8 • **Les plantes ou la phytologie** : plantes revitalisantes, drainantes, adaptogènes... et les huiles essentielles...

9 • **Les techniques énergétiques** : recours aux différentes formes de magnétisme, aux aimants...

10 • **Les techniques vibratoires (jadis nommées actinologie)** : utilisation des couleurs, des rayonnements solaires, lunaires, IR...

Depuis nos textes fondateurs nord-américains (Lust et Scheel en 1895 et 1902), confirmés et précisés par Pierre-Valentin Marchesseau dans les années 40 pour l'école française, ces techniques n'ont pas pris une ride. Mieux encore, il nous est impossible de leur ajouter une onzième technique, tant le génie de nos maîtres avait élaboré une parfaite synthèse, fonctionnelle et dynamique – elle reste néanmoins toujours ouverte à de nouvelles sous-techniques !

Nous retrouverons donc ces multiples « clés » de santé ou de guérison tout au long de cet ouvrage, dont la modeste prétention n'est que d'introduire aux mille et un aspects de l'hygiène de vie au quotidien, conjuguant plaisir, responsabilité et conscience de pendre soin de soi.

En filigrane à notre propos, il y a l'invitation à nous réveiller de la somnolence où notre système politico-médical tend à nous entretenir, à sortir du troupeau des malades assistés et des citoyens anesthésiés. Si l'adulte se caractérise par son autonomie, sa créativité et ses prises de responsabilité, il possède aussi en lui le devoir de rébellion ou de déviance lorsque son cadre de vie l'inscrit dans la pensée unique ou lui rogne les ailes de la liberté.

« Le monde ne sera sauvé, s'il peut l'être,
que par des insoumis. »
André Gide

Pour ultime clin d'œil à Claude Barreau, c'est *« un livre à lire, à consulter, palper, digérer et assimiler, pour apprendre à guérir, pour apprendre à grandir et à n'être jamais malade ».*

I

La journée de l'Homme[3] heureux

Si toute consultation auprès d'un naturopathe correctement formé débute par un temps d'écoute attentive et **d'anamnèse**, vient ensuite le **bilan de vitalité**, pratiqué via un examen morphologique (proportions du corps, formes du visage, état des ongles, des cheveux, de la peau, etc.), iridologique (étude de la partie colorée des yeux), voire pulsologique (prise des pouls orientaux). Il peut être demandé des examens complémentaires, de type bilans de terrain et énergétiques (bioélectronigramme, cristallisation sensible, bilan Vernes-Augusti…).

Ce bilan permet essentiellement de déterminer avec précision le **capital énergétique** du patient (en termes de constitution, de tempérament, de diathèse et de vitalométrie), ce qui

[3] Est-il utile de rappeler qu'ici, langue française oblige, il s'agit de faire référence à l'humain, c'est-à-dire à l'homme comme à la femme ou l'enfant, sans aucune connotation sexiste.

caractérise ou affecte son **terrain humoral** (surcharges, carences, fluidité du milieu intérieur).

S'ensuit un temps important de **pédagogie**, afin de sensibiliser la personne à telle ou telle erreur de vie (sédentarité, nutrition, constipation chronique banalisée, mélanges alimentaires maladroits), de la **responsabiliser** et de la motiver à faire une réforme plus ou moins profonde de son comportement quotidien.

Au final, le **programme d'hygiène vitale** (et non pas l'ordonnance) rédigé par le praticien de santé naturopathe explicitera tous les conseils propres à optimiser les habitudes alimentaires, et notamment les exercices physiques, la gestion du stress, la surveillance des éliminations naturelles, la qualité du sommeil, l'utilisation de l'eau, des argiles, de l'ensoleillement, des plantes et compléments alimentaires…

Du fait de l'impossibilité évidente de pratiquer ce bilan personnel pour chaque lecteur, merci à tous de comprendre que nos conseils donnés dans ce livre ne peuvent donc être individualisés comme il faudrait idéalement. Ainsi, nous supposerons notre « Homme heureux » d'âge moyen, de santé et de vitalité moyenne, d'activité moyenne et vivant sous des climats moyens… Puissent ces pages inviter le lecteur à consulter un praticien de santé naturopathe compétent pour faire une démarche et une réforme élaborée sur-mesure.[4]

Prenez soin de vous, vous êtes précieux.

Belle santé à toutes et à tous !

[4] Pour des adresses de praticiens de santé naturopathes, se reporter en fin d'ouvrage et consulter notre association syndicale, l'OMNES.

II

Le réveil

Rien de plus important que de se lever positivement ! Comme pour toute chose entreprise, le commencement engage la dynamique de tout le reste. Se réveiller au mieux suppose donc déjà de la conscience et la mise en œuvre de quelques conseils essentiels.

◆ **Tâcher de se souvenir de ses rêves,** informations très souvent utiles pour orienter ou éclairer sa journée, voire pour solutionner un problème en cours.

◆ **Installer en soi une pensée lumineuse,** sereine, constructive, qui impliquera toute sa journée. Profiter de ce moment où le cerveau est encore en activité dite *alpha* pour semer ces bonnes pensées dans la terre fertile du subconscient.

- Par exemple, dire trois fois de suite : « *Merci, merci pour la vie, merci pour cette nouvelle journée ; elle sera riche d'expériences heureuses, d'échanges harmonieux avec mes proches* (préciser ici, au besoin, telle ou telle relation à privilégier), *de créativité, de paix…* »

- Autre option pour les croyants : « *Merci Seigneur, merci pour cette journée nouvelle, accorde-moi la force d'accomplir Ta volonté* (ou la volonté du Plan cosmique) » ou tout autre courte prière du cœur.

◆ **Bailler.** Si les raisons du bâillement sont encore quelque peu mystérieuses sur le plan médical et scientifique, on sait qu'il fait office de signal biologique de transition (vers le repas, vers le réveil ou le sommeil, l'envie de changer d'activité).

De plus, les ostéopathes savent que bâiller déclenche une relance de la *respiration primaire,* c'est-à-dire qu'il favorise la bonne circulation du liquide céphalo-rachidien qui baigne la moelle et le cerveau, tel un signal de vie absolument essentiel.

◆ **Prendre le temps de s'étirer.** Bien des mammifères, les primates et les félins en particulier, ont l'instinct de s'étirer souvent, tel un exercice de stretching spontané, qui est très bénéfique à l'étirement des muscles, des fascias, des articulations…

◆ **Sourire à sa compagne ou à son compagnon.** Faute de mieux, sourire à son environnement, à une icône, à un bouquet de fleurs…

◆ **S'asseoir et respirer trois fois profondément** et lentement, par le nez, en goûtant pleinement la qualité de l'expérience, en toute simplicité. Imaginer ou visualiser que cet air est chargé de particules vibrantes d'amour, de forces vives, de santé, et les laisser se diffuser dans tout le corps.

Ne pas passer de la position horizontale à celle verticale trop rapidement permettra aussi au système cardiovasculaire de s'ajuster sans violence à un nouveau rythme et à de nouvelles fonctions.

◆ **Enfin, selon ses croyances personnelles, se lier par le cœur à une valeur de nature spirituelle :** par un signe de croix, un regard sur une icône, sur une statuette du Bouddha, un livre sacré ou, plus simplement, le soleil filtrant par une fenêtre...
Pour certains, c'est l'occasion d'évoquer son ou ses guides, saints patrons ou anges gardiens... Y puiser protection (les Orientaux parlent de *prendre refuge*) et complicité avec la source.

◆ **Une fois debout, le tout premier geste est de se laver les mains puis de se passer de l'eau fraîche sur le visage et, tout au moins, sur les yeux.** Beaucoup d'enseignements (de médecine chinoise, tibétaine ou kabbaliste, par exemple) insistent sur ce petit rituel pour nous débarrasser des impuretés ou informations énergétiques négatives.

◆ **L'Homme heureux soulage bien naturellement sa vessie, voire ses intestins,** puis **boit un verre d'eau très pure** et chambrée (en saison chaude) ou bien chaude[5] (en saison froide), éventuellement additionnée de quelques gouttes de jus de citron d'origine biologique, en guise de premier nettoyage métabolique.

[5] Dans les pays de l'Est, on sait que l'eau chaude matinale dilate les vaisseaux du tube digestif et aide à évacuer des mucus résiduels, voire à assouplir les vaisseaux et prévenir nombre de troubles : migraines, insomnies, infections chroniques, voire athérosclérose.

III

Les ablutions

Même s'il sait que, la nuit, s'opèrent des métabolismes complexes d'homéostasie, de désacidification humorale et d'activation émonctorielle silencieux, l'Homme heureux sait parfaire ce nettoyage interne régulièrement par une hygiène appropriée.

Bien entendu, il est rare qu'on dispose de suffisamment de temps pour mettre en pratique l'ensemble des conseils qui suivent… mais chacun pourra tester ce qui lui convient, voire s'organiser pour une alternance des méthodes.

- **Se moucher,** soigneusement mais sans violence, afin de dégager les voies respiratoires supérieures d'éventuels mucus accumulés.

- **Se racler doucement la langue,** à l'aide d'un *rape-langue* bien connu des adeptes du Hatha Yoga, voire d'une petite cuillère tout simplement. Ôter cet enduit blanchâtre assurera une meilleure haleine, favorisera les fonctions gustatives et sera aussi un bon miroir des fonctions hépato-intestinales nocturnes : chargée chez les jeûneurs, la langue témoigne du travail de désintoxication ; chez les adeptes du fromage au dîner, elle signale un encrassement digestif affectant sournoisement la flore intestinale. Elle demeure rose chez les personnes en parfaite santé, comme chez les jeunes enfants !

◆ **Se nettoyer les fosses nasales à l'eau salée.** Cette bonne pratique, nommée *neti* en sanskrit, est non seulement souveraine en cas de rhume, mais aussi préventive et stimulante par voie réflexe.
Il s'agit d'utiliser un petit récipient *(Lota)* rappelant une théière dont le bec s'ajusterait à la taille des narines. Le remplir d'eau tiède légèrement salée (1 cuillère à café rase de fleur de sel ou bien de sel de Nigari[6]). Bien dissoudre, puis faire couler l'eau entrant par une narine et ressortant naturellement par l'autre. Respirer pendant ce temps par le nez, penché au-dessus du lavabo. Utiliser une moitié du liquide pour chaque narine. Il est impératif de bien se moucher ensuite, afin de ne laisser que le minimum de liquide dans les sinus : pencher la tête à cet effet, tantôt à droite, tantôt à gauche, la relever, la baisser, tout en soufflant par le nez, par saccades.
Vous serez surpris par les éliminations parfois rejetées (mucus, poussières) et les bienfaits de la méthode !
Comme toutes méthodes de ce type, il est préférable de s'organiser pour réaliser des cures de quelques jours par semaine, ou de quelques semaines par mois, plutôt que de

[6] Sel de Nigari ou chlorure de magnésium naturel : commercialisé par Ludmilla de Bardo, dans les bonnes boutiques d'alimentation bio ou sur les salons spécialisés.

pratiquer non-stop, afin d'éviter l'accoutumance et d'y perdre en efficacité.

- **Se laver les dents** avec une brosse douce et synthétique – les poils de soie ou de sanglier, d'allure pourtant plus écologique, sont de vrais nids à bactéries !
  Pour le dentifrice, choisir, ou mieux, alterner les propositions suivantes : pâtes du commerce bio (Wéléda, Argiletz[7], Cattier...), poudre de plantes dentifrices ayurvédiques (dans les boutiques de produits indiens), bicarbonate de soude, charbon végétal activé, mélange de fleur de sel et d'huile d'olive, *Eau de Botot,* argile surfine enrichie d'une seule goutte d'un mélange d'huiles essentielles spécifiques (myrrhe, sauge sclarée, romarin, citron et lentisque).

- **Se masser les gencives** soigneusement, avec le doigt, afin d'activer la microcirculation locale, geste toujours favorable à la santé des gencives et des dents.

- **Oser le bain de bouche à l'huile.** Cette méthode, encore trop peu connue en France, est bien connue de nos confrères allemands Heilpraktikers. Par gain de temps, elle peut se réaliser pendant la douche ou le bain de siège.
  Il s'agit de garder longtemps en bouche une bonne cuillère d'une huile vierge, de première pression à froid (noix, œillette, colza, olive, courge, noisette, argan, chanvre...) sans l'avaler. Faire circuler l'huile dans la bouche et apprécier les nuances des saveurs pendant 2, 5, 10 minutes, puis recracher. C'est une méthode souveraine pour la santé globale de la bouche, mais aussi pour activer les fonctions émonctorielles tout au long du tractus digestif !

[7] Éviter d'utiliser régulièrement des pâtes argileuses en cas de parodontose : pour bénéfique qu'elle soit, on note à l'expérience que l'argile tend à accélérer les déchaussements.

◆ **Le bain de siège froid.** Ancestrale technique bien connue des hygiénistes et des naturopathes, le bain de siège froid est une quintessence de bienfaits sur le plan glandulaire (stimulation des gonades et surtout des surrénales), nerveux (neurovégétatif), circulatoire (hémorroïdes, congestions pelviennes...) et énergétique (*effet de prise de terre négativante* sur le plan électromagnétique et stimulation des deux premiers centres énergétiques ou *chakras*).
Préparer une grande cuvette avec de l'eau froide – bien chauffer sa salle de bains néanmoins, avant d'aller casser la glace des torrents ! S'asseoir dans l'eau (pieds à l'extérieur !), sans que le niveau ne dépasse le pubis. Agiter l'eau (très important !) avec la main, un gant, une spatule en bois – ce qui rapproche ce soin de ce que Kühne nommait *bain de siège à friction* et de ce qui est remis en vogue aujourd'hui sous le nom de *bain dérivatif*.
La durée est de quelques secondes au début (surtout chez les frileux !), puis, peu à peu, jusqu'à 3 à 10 minutes. Les temps héroïques où l'on conseillait des bains de siège jusqu'à la taille, où nageaient des glaçons et qui duraient 30 minutes et plus, est bel et bien révolu. Les typologies *sur-vitales* des robustes gaillards d'antan se font rares, il est vrai !
Attention : Bien se frictionner à la sortie de ce bain de siège. Une réaction chaude et euphorique est alors impérative. Si l'on reste frissonnant ou tremblant, ne pas hésiter à prendre une bonne douche chaude et une boisson chaude également. Cela signifie alors que l'eau était trop froide ou la durée trop longue, ou bien que la vitalité personnelle était trop défaillante pour assumer favorablement cet exercice. De la patience, de la tendresse pour soi-même et... recommencer au mois d'août prochain !

- **La douche écossaise.** Superbe « clé » d'hydrothérapie traditionnelle, cette douche est toujours souveraine pour stimuler les processus adaptatifs neuro-glandulaires. Elle *« aguerrit son homme »*, pour reprendre l'expression de Georges Rouhet. Correctement pratiquée, la douche écossaise est aussi l'une des bonnes habitudes préventives à prendre lors d'une tendance à l'insuffisance veineuse des membres inférieurs.
  Toujours débuter par une douche générale bien chaude. Rafraîchir ensuite le corps, en commençant par le bas. La température de l'eau doit être progressive pour habituer l'organisme au choc thermique. Alterner ainsi sur le mode eau chaude/eau froide au minimum trois fois de suite. Terminer sur le froid, sauf pour les grands frileux arthritiques qui devront terminer sur de l'eau tiède, au moins pendant les premières semaines de pratique.
  Attention : Bien veiller à ne pas utiliser de l'eau brûlante ni glacée, mais simplement de l'eau chaude et froide, car les trop grosses différences thermiques peuvent apporter des effets opposés à ceux recherchés.
  Ne pas pratiquer chez les malades trop affaiblis, en cas d'œdème et chaque fois que la douche devient synonyme de stress insurmontable – car les méthodes *trop spartiates* ne sont jamais porteuses d'harmonie à long terme !

- Si besoin est, utiliser **un savon doux, à pH neutre ou mieux légèrement acide** (comme celui de la peau saine) tel que le liquide moussant de Cattier, les pains dermatologiques sans savon vendus en pharmacie (Aveenoderme, La Roche Pozay), les savons ayurvédiques, ou une base moussante neutre et biologique enrichie de 5 % d'huiles essentielles à son goût (lavande, sauge, romarin, santal, géranium rosat, mélaleuque à feuilles alternes, ylang-ylang, coriandre…) et de 5 % de vinaigre de cidre ou de lactosérum (petit-lait).

- **Profiter de cette douche pour éliminer et abandonner à l'eau ses impuretés énergétiques et psychiques.** Les *thérapeutes* esséniens invoquaient ainsi l'ange de l'eau en formulant une courte invocation qui peut être toujours d'actualité. Par exemple : *« Comme je lave mon corps, j'abandonne à l'eau mes impuretés énergétiques, mes émotions et pensées négatives… »*

- **Se frictionner énergiquement au gant de crin,** à la suite du bain de siège comme de la douche. Bien insister sur la colonne vertébrale. Bien évidemment, adapter les frictions à l'état de sa peau (et à celle de son partenaire de salle de bains, le cas échéant), et éviter les muqueuses comme les zones fragilisées : boutons, verrues, capillaires apparents… En pleine nature, se frotter avec des bouquets fraîchement cueillis de romarin, de sauge ou de basilic laissera un souvenir impérissable !

- **Pour terminer ces ablutions, l'Homme heureux se masse** (ou mieux, masse sa compagne, puis se fait masser) **aux huiles essentielles.** Il utilise un mélange tout fait (de type huiles de massage Wéléda), ou mieux, une recette personnelle qui pourra vous servir de parfum pour le reste de la journée.
Dans une base d'huile de sésame ou de gel d'Aloe Vera (non gras), mélanger 5 à 20 % d'un complexe aromatique parmi ces propositions : huiles essentielles de santal ou d'ylang-ylang (les plus sensuelles), lavande, rose (voire palmarosa ou géranium rosat pour un coût plus raisonnable), coriandre, cèdre de l'Atlantique (notes boisées), patchouli

(une trace suffit), myrrhe, nard, oliban ou benjoin (pour des notes plus mystiques)…
Insister sur la colonne vertébrale, la ligne antérieure allant du sternum au pubis et à la plante des pieds. Éviter les muqueuses.
Attention : Toujours tester une trace d'huile essentielle sur l'extérieur du bras ou de la cuisse en cas d'allergie possible. Si, par mégarde, une goutte d'huile essentielle s'égarait dans l'œil durant votre préparation, nettoyer immédiatement avec de l'huile de table uniquement (olive, colza…). Mais n'utiliser jamais ni eau ni alcool.

- **Besoin d'un déodorant ?** Gare aux produits inhibiteurs (antiperspirants), même naturels, qui peuvent bloquer dangereusement la fonction de sudation. Utiliser simplement l'ancestrale pierre d'Alun (que nos grands-pères utilisaient pour limiter le feu du rasoir), voire une trace de gel d'Aloe Vera enrichi de 2 % d'huile essentielle (cèdre, santal, ylang-ylang, rose, palmarosa, patchouli, myrrhe…).

- **Pour les soins cosmétiques** de jour (pour femme comme pour homme), découvrir par exemple la merveilleuse gamme du Dr Hauschka, d'inspiration anthroposophique.

Femmes au bain
(Acrylique sur toile d'après copie)
Eve Susini

IV

La mise en forme

Tout un choix d'exercices simples peut être ici proposé. Il est sage d'alterner ceux de son choix, par cures de 21 jours par exemple, puis d'installer ces pratiques plus régulièrement selon son ressenti.

Exercices respiratoires

Dans deux précédents ouvrages[8] sont largement développées des pratiques de bien-être s'appuyant sur la respiration. Nous sélectionnons ici, du plus simple au plus complet, les exercices suivants :

[8] Daniel Kieffer, *Comment se régénérer pour bien vieillir* et *Encyclopédie de revitalisation naturelle,* Éditions Sully, 2004 et 2001.

◆ *Les respirations complètes*

À la fin d'une expiration profonde, commencer par gonfler lentement le bas du ventre (telle une bouteille qui se remplit) et la région des reins, continuer en dilatant les basses côtes, puis écarter le thorax et lever le sternum. Parvenu à cette apnée haute, les épaules demeurent détendues, le visage aussi : sensation de plénitude, jamais de surpression inconfortable.

Pour l'expir, vider lentement le haut du buste : le sternum s'abaisse, les côtes se resserrent. Pour le moment, l'abdomen est toujours dilaté (convexe). Vider enfin l'abdomen en rentrant le ventre et en serrant la ceinture. Ne pas se pencher en avant pour autant. C'est l'apnée basse.

Recommencer l'exercice 3 à 12 fois.

Imaginer la respiration comme le lent remplissage d'un flacon d'huile, où le fond se remplie tout d'abord, puis le niveau s'élève peu à peu jusqu'au remplissage complet.

L'expiration se fait dans le sens inverse, bien que certains enseignements conseillent l'opposé : c'est tout à fait acceptable, mais moins compatible avec la visualisation de la bouteille…

Attention : Ne jamais forcer l'inspiration : les alvéoles pulmonaires sont de petits sacs d'une grande fragilité, dont l'élasticité est très limitée dans le sens de l'expansion. Le risque de dilatation irréversible (insuffisance respiratoire chronique et emphysème) est réel chez les adeptes de pratiques inspiratoires forcées.

Bien « huiler » les enchaînements, comme s'ils étaient fondus dans un même mouvement pour l'inspir et dans un autre pour l'expir. Éviter les saccades, les paliers.

Cette respiration, correctement pratiquée une demi-douzaine de fois, fait merveille pour chasser la fatigue à tous moments de la journée. Elle donne une sensation de plénitude, de présence attentive à l'environnement et prépare à l'action comme à d'autres exercices plus intériorisés. Elle est calmante, antistress, de par le massage du plexus solaire qu'elle assure (il est notre *cerveau viscéral* et notre grande centrale émotionnelle). Exécutée avant et après les repas, voire aux changements de plats, elle assure le calme et le rythme paisible indispensables à une bonne digestion et à une bonne assimilation. Elle est donc utile à celles et ceux qui se plaignent souvent de ballonnements, de gaz, de lourdeurs après les repas.

Le brassage humoral est important, que cette respiration soit pratiquée allongé, assis ou debout. Le bénéfice cardiovasculaire est donc certain, et la circulation de retour grandement favorisée.

◆ *Les respirations en triangle*

Il s'agit de respirations complètes, lentes et conscientes, selon un rythme du type inspirations durant 4 secondes, rétention pleine durant 8 secondes ou plus, et expiration durant 8 secondes ou plus. Avec quelques mois d'entraînement, on pourra parvenir à 4/16/8 secondes, et même à 8/32/16 secondes, cycle idéal et symbolique à ne pas rechercher trop vite, mais considéré par beaucoup d'enseignants comme porteur de bienfaits optimums.

***Greffer* un travail psychologique** sur ces temps respiratoires (tout comme pour la respiration alternée qui suit) pour en décupler les bénéfices. Par exemple, sur l'inspiration, imaginer (penser, visualiser...) que l'on s'ouvre aux forces de santé, de vitalité, voire de telle ou telle vertu spirituelle recherchée, et sentir ces énergies entrer en soi via le souffle. Sur la rétention, ressentir qu'elles s'installent et se diffusent dans le plexus solaire (creux de l'estomac), comme digérées, assimilées, intégrées. Enfin, sur l'expir, imaginer que l'on rejette les éléments indésirables opposés, qu'on s'en défait, s'en libère, et qu'on les abandonne à l'horizon, vers une flamme, un verre d'eau, la terre… Pour bien contrôler le rythme respiratoire, freiner doucement son passage.

Comment expliquer les bénéfices de cet exercice ? Probablement grâce à la puissance de l'autosuggestion (telle qu'utilisée en sophrologie ou en Yoga Nidra), mais aussi grâce à des processus psycho-énergétiques encore mal compris des scientifiques les plus rationalistes, mais que les sciences quantiques et les neurosciences approchent peu à peu, promettant de confirmer sous peu les enseignements traditionnels et empiriques.

◆ *La respiration alternée*

Cette respiration harmonise, équilibre les polarités cérébrales cerveau droit/cerveau gauche. Elle harmonise en chacun la part de masculin *(animus)* et de féminin *(anima),* régule le flux des énergies Yin et Yang, l'équilibre ortho- et parasympathique, les deux branches du système nerveux végétatif responsables de la régulation de toutes les fonctions organiques (rythme cardiaque, contractions vasculaires, digestion, péristaltisme intestinal, diamètre des bronches…).

Assis, dos droit sans effort, éventuellement soutenu par un dossier au niveau des lombaires, on peut aussi, selon ses habitudes, pratiquer assis au sol, sur un coussin, de type zafu ou un petit banc[9], de type de shogui. Sans ces supports, il est exceptionnel (danseurs ou yogis entraînés) de pouvoir

[9] On trouvera facilement ces sièges sur les salons de type Marjolaine, Médecines douces… Ils sont utilisés depuis des siècles par les méditants zen, les Esséniens (assise silencieuse) et les Égyptiens.

tenir longtemps le dos droit et le ventre libre sans s'avachir. Dégager toutes contraintes au niveau du col ou de la ceinture. La main gauche est posée sur la cuisse gauche, paume vers le ciel.

1. En formant une pince avec le pouce et l'annulaire de la main droite (l'index et le majeur sont alors repliés), on va pouvoir respirer par l'une ou l'autre narine. (Commercer par expirer à fond, sans se pencher en avant ni baisser la tête!)
2. Boucher la narine gauche et inspirer franchement par la droite pendant 4 secondes (respiration complète si possible). Aucune violence.
3. À la fin de l'inspir, boucher les deux narines pour 8 à 16 secondes de rétention pleine. (Faire de son mieux et progresser de jour en jour).
4. Libérer la narine gauche, puis expirer très lentement par cette narine pendant 16 secondes si possible.
5. À la fin de l'expir, boucher le côté gauche et inspirer par la narine droite comme en point 2 et continuer ainsi les alternances.
6. Durée idéale de l'exercice complet : 12 alternances.

Attention :

- Pour contrôler correctement le débit du souffle, il est toujours très souhaitable de posséder la « respiration freinée » (respiration dite « du dormeur » ou *ujjaï*), faute de quoi il est quasiment impossible de faire durer à la demande les temps d'inspiration et surtout d'expiration ![10]

[10] Rappel : cette respiration freine le passage de l'air au niveau de la gorge (bouche fermée) évoquant le petit bruit du dormeur (pas le ronflement, mais juste avant !). Elle permet un contrôle rapide des émotions, de la douleur ou du mental. Elle peut aussi s'avérer très favorable aux éjaculateurs précoces et elle permet aussi d'apprendre à se concentrer.

- Éviter de toucher les narines avec les ongles, ce qui est mal vu au plan énergétique.
- De même, éviter de placer l'index et le majeur sur le centre du front, comme cela est souvent enseigné.
- Pour s'aider à compter les 12 cycles tout en ayant l'esprit libre, utiliser le principe du boulier chinois : les phalanges des 4 doigts de la main gauche sont au nombre de 4 x 3 = 12, et le pouce sert de compteur qui se déplace de phalange en phalange, tout simplement. Une fois automatisé, ce geste permet de se concentrer sur sa respiration et d'y associer éventuellement des exercices de visualisation.
- Veiller à garder les épaules basses, la nuque étirée et le menton rentré durant toute l'exécution de cette respiration alternée.

Pour les adeptes déjà convaincus des bienfaits du Hata Yoga ou du Ki-Gong, bien d'autres exercices s'avèrent excellents lors des pratiques matinales.

Exercices physiques

Pour beaucoup, ces plages d'exercices s'intégreront mieux à un autre moment de la journée (fin de matinée ou d'après-midi), mais il peut être utile d'en faire l'expérience objective avant le petit-déjeuner, durant quelques jours de vacances par exemple, puis de décider en connaissance de cause.

L'Homme heureux se propose de nombreux choix :

◆ Une courte plage de **Ki-Gong**, de **Taï Chi Chuan** ou de **Kinomishi**.

◆ Une séquence de **Hata Yoga, dont la classique salutation au soleil** – *Suryanamaskar,* enchaînement de postures.[11] Se reporter, pour les débutants, à l'excellent livre *J'apprends le yoga,* d'André Van Lysebeth (Flammarion, 1990).

◆ Une séquence de **Do-In**, le traditionnel réveil japonais des articulations et des principaux points énergétiques.[12]

◆ L'enchaînement nommé « **5 Tibétains** ».[13]

◆ Une séance d'**autoréflexologie plantaire**[14], beaucoup plus passive, mais souvent très bénéfique.

◆ Une séance de **stretching postural.**[15]

◆ Une séance d'**eurythmie**, subtile alliance de travail gestuel, de respiration et de symbolique, ouvrant à une méditation corporelle dans l'esprit anthroposophique.[16]

◆ Les enchaînements de la **paneurythmie** selon Peter Deunov[17], étonnante discipline où se déclinent mouvements

---

[11] Cf. le site de la Fédération française de Hata Yoga : http://www.ff-hatha-yoga.com/namaskar32/page4/namaskar4.htm

[12] Cf. *The first book of Do-In,* Jacques de Langre (Happiness Press, California/USA, 1985) ou bien *Le livre du Do-In,* de Michio Kushi (Guy Trédaniel, 1997).

[13] Cf. *Les 5 Tibétains,* Éditions Vivez Soleil, 2002. Voir aussi le site http://pages.videotron.com/fdv/physique/tibetains.htm

[14] Cf. *Livre de la réflexologie plantaire,* Mireille Meunier, Guy Trédaniel, 1995.

[15] Cf. *Stretching,* M. Esnault (Masson, 2002) ou bien *Au cœur du stretching postural,* Laurence Moreau (auto-édité).

[16] Cf. *Cours d'eurythmie de la parole,* Rudolf Steiner, Éditions Triades, 1995. Voir aussi sur le site http://www.chez.com/eurythmee/

[17] Cf. *Paneurythmie,* Peter Deunov, Éditions Prosvéta, 1990.

corporels en couple, musique, respiration et méditation dynamique.

- Ceux décrits par ce même Peter Deunov au début du XXe siècle et explicités dans les ouvrages de Omraam M. Aïvanhov.[18] Une belle quintessence de méditation dynamique, souvent appelée **gymnastique initiatique**!

- Une séance de **gymnastique douce**[19], à choisir par exemple parmi l'anti-gymnastique de Thérèse Bertherat, les méthodes Pilates, Ehrenfried, Feldenkrais, Biodanza…

- Une séance de **trampoline**, grâce auquel on peut non seulement travailler les centres de l'équilibre, mais aussi bénéficier d'une excellente stimulation cardiovasculaire, tout en tonifiant ses muscles, ses réflexes et ses disques intervertébraux.

Au final, on aura compris que l'important est d'activer doucement le corps, en alliant au possible respiration et conscience, afin de réveiller harmonieusement la circulation de la vie en soi tout en optimisant le schéma corporel et les interrelations avec l'environnement énergétique (rosée, soleil, grand air, arômes…).

Quel est le point commun à toutes ces méthodes, en comparaison avec les gymnastiques d'antan ? Elles intègrent toutes les notions de non-violence (être un bon compagnon pour soi-même), de lenteur (la vitesse exclut la concentration et tend à spasmer les masses musculaires plutôt qu'à les détendre

[18] Cf. *La nouvelle terre,* Omraam Mikhaël Aïvanhov, Éditions Prosvéta, 1995.

[19] Plusieurs ouvrages portent le titre de « gymnastique douce », aux Éditions De Vecci, Vigot, Hachette, Amphora…

et les tonifier), de respiration sur l'effort (bloquer le souffle bloque l'énergie, le mental et favorise l'acidification des tissus sollicités), et de conscience (être plus *présent au présent* fait de l'exercice physique un outil de développement personnel, voire transpersonnel).

- **Les exercices à ne pas pratiquer** à ce moment de la journée, de toute évidence, sont tous ceux qui mobilisent une trop grande quantité de glucose sur un effort intense et court, et ceux qui seraient vécus comme une violence (relative) au corps ou au psychisme. Il en va ainsi de : la musculation, la course ou la bicyclette rapide, la gymnastique aux agrès, le tennis, l'aviron, l'escalade…

- **La marche dans la nature.** Faute de temps ou de méthode et pour profiter le plus de la nature environnante, il est tout à fait possible de remplacer les exercices ci-dessus par une marche dans la nature, en privilégiant les **espaces verts et boisés** (oxygénation), le **contact des pieds avec la rosée matinale** (décharge de l'électricité statique ou ions positifs et recharge en énergie tellurique revigorante), les **échanges avec les grands arbres** (à saluer, toucher, embrasser !).
Comme feraient les enfants, oser même se lier aux forces vives de la terre, de l'eau, de l'air et du feu (soleil)… car qui sait si ces complicités du monde invisible ne sont qu'imaginaires ? Le réel est bien différent selon les cultures, et ces *devas*, nommés aussi le *petit peuple* (cher aux habitants d'Islande, d'Irlande, d'Europe centrale, des Indes ou de notre Bretagne profonde) affirment parfois qu'ils n'existeront que tant que nous y croirons…

- **Les levers du soleil** sont des instants privilégiés qui ont fasciné et fascinent encore bien des civilisations ou cultures dites *solaires* (Inde, Égypte, Celtes, Mayas, Gnostiques,

Bogomiles...). Prendre un moment pour contempler les premiers rayons, tout particulièrement entre les premiers beaux jours (équinoxe de printemps) et le dernier jour de l'été (Saint-Michel, équinoxe d'automne), est une expérience souvent bouleversante pour l'âme et puissamment revitalisante pour le corps. Que les croyants ne voient ici aucun blasphème ni sacralisation profane de l'astre du jour, car le soleil possède simplement, en son essence, les attributs évidents d'une trinité : la lumière (archétype de la sagesse), la chaleur (archétype de l'amour) et la vie (archétype de la puissance). À chacun donc d'en faire l'expérience objective et, se liant un moment au soleil[20], d'en retirer des bienfaits pour le corps, pour le cœur ou pour l'esprit.
Du courage, les lève-tard, vous serez récompensés de vos efforts au-delà de vos espérances!

[20] Bien entendu, nous n'invitons nullement à fixer le soleil au-delà de quelques secondes à son exact lever, même avec des lunettes appropriées. Les risques pour la rétine sont réels. Lire aussi : *Soleil vital* (Éditions Jouvence, 2002) ou la thèse de médecine du Dr André Masson : "Le soleil, l'homme et la santé" (Montpellier, 1977). Pour les amateurs de livres anciens, voir : *L'homme et la lumière,* du Dr Fougerat de David de Lastours (Éd. Vie et Lumière,1938).

Posture de la Sauterelle
(photo D.K., le Thor, 1978)

V

Le petit-déjeuner

Quelques rappels d'hygiène nutritionnelle sont ici indispensables pour une bonne compréhension des conseils qui suivent.

- **Ne manger que si l'on a faim, même pour les enfants.** L'appétit est avant tout un instinct qui ne trompe pas[21], lié aux fonctions contrôlées par l'hypothalamus et témoignant d'une bonne santé comme d'une bonne libido (les appétits alimentaires ou sexuels sont de même essence). Pour les Chinois, il s'agit d'une bonne fonction des énergies du poumon, lié lui-même à nos capacités de prendre la vie à pleines narines ou à pleines dents, d'avoir *du flair,* de se conserver en vie.

[21] Nous n'évoquons pas ici les cas d'anorexie mentale, ni d'anorexie liée à une pathologie lourde : cancers, tuberculose, dépression, sida…

Si le dîner précédent était léger, si le sommeil était bon et si l'on fait l'expérience des ablutions indiquée plus haut, l'appétit sera assurément au rendez-vous !

- **Individualiser son petit-déjeuner en fonction des besoins de la journée.** Tel sportif ne s'alimentera pas comme tel sédentaire, telle femme enceinte ou tel adolescent…

- **Privilégier la qualité à la quantité.** Aliments bio en tête, mais aussi *alicaments* bien connus, tels que pollen frais, graines germées, jus de légumes ou de pousses vertes (orge, blé, luzerne), etc.

- **Choisir une composition adaptée à la saison.** Plus de fruits en été ou plus de céréales en hiver semble être aussi une évidence.

Exemples de petits-déjeuners d'été

- *Comme boisson* :
  - Jus de fruit frais non glacé et, si possible, *fait maison* : pêche, raisin, mangue, papaye, pomme, cerise…
  - **OU thé vert, maté vert, tisane d'hibiscus** (Karkadé, boisson traditionnelle d'Égypte, riche en vitamine C et flavonoïdes) ou de toute autre plante aromatique agréable et rafraîchissante (romarin, sauge, citronnelle, basilic, mélisse, menthe…).
  - **OU**, pour les inconditionnels, **café léger** et peu torréfié (de type Maragogype), éventuellement teinté d'une goutte de lait végétal (riz, noisette, quinoa, millet, amande, châtaigne) ; voire de la **chicorée** ou autres succédanés de café à base de chicorée, malt, glands…

Ne pas sucrer, ou légèrement avec du sucre complet (intégral et non roux), stevia, sève de kitul, sirop d'agave ou de malt.

Petit-déjeuner plus ascétique pour les habitués, mais mille fois plus énergétique :

- **Jus de légumes frais** (à la centrifugeuse ou mieux à l'extracteur Green Power ou Champion) sans tomate.
- Et/ou **jus vert chlorophyllien** : jus de pousses d'orge en poudre soluble *(Green Magma)* ou de blé et luzerne *(Algo Tonic)*.

◆ Avec *pour aliments solides* :

- **Fruits frais** de saison, éventuellement associés à un laitage bio[22] : fromage blanc, yaourt, kéfir ou, mieux encore, spécialité ***K-Philus***.
- **OU simplement, bananes bien mûres** et écrasées à la fourchette.
- **OU crème de type « Budwig »** revue et corrigée par nos soins, c'est-à-dire : un mélange de fromage frais *(K-Philus* chèvre, brebis), voire de tofu (pour ceux qui ne craignent pas les dérivés du soja) + une cuillère à soupe d'huile de chanvre (ou de cameline, de colza, de noix ou de courge) + des fruits coupés (fraises, pommes, pêches, mangues…) + un filet de jus de citron + une à quatre cuillères à café de pollen frais (*Pollenergie* de Patrice Percie du Sert) + une à quatre cuillères à soupe de graines germées (tournesol, blé, cresson, luzerne, fenouil, fenugrec).

[22] Si pas d'allergie ni d'intolérance au lactose ou/et aux protéines du lait.

Si ce mélange ne semble pas assez sucré, ajouter quelques raisins secs ou une cuillère de sirop d'orge (Malt liquide de *Lima*).

On peut encore l'enrichir, si besoin est, avec quelques oléagineux préalablement trempés pendant une nuit (amandes, noisettes, pignons...), une ampoule de « sérum de Quinton isotonique » (eau de mer peu salée sous cette forme), voire avec un peu de poudre d'algues (spiruline, klamath ou chlorella). Seront aussi les bienvenus les arômes de poudre de cannelle, d'anis vert, de cardamome ou de coriandre...

Cette préparation est un concentré exceptionnel de vitalité pour toute la journée, beaucoup plus digeste que la recette traditionnelle chère aux Montagnards suisses (les graines sont germées et non pas en farine!).

- **OU, enfin, une base protéique sous la forme d'un ou deux œufs :** à la coque, pochés, brouillés.
- **OU d'un peu de saumon fumé** (bio) + quelques **galettes de céréales soufflées** ou du **Pain Essène** (délicieux petits pavés de blé germé, qu'on a lentement amenés à autolyser leur amidon en maltose et dextrine, à basse température, de saveur douce, digestes et *vitalogènes*).

Exemples de petits-déjeuners d'hiver

◆ *Comme boisson chaude* :

- **Thé vert** ou **maté vert** ou toute autre plante aromatique agréable et dynamisante (Yang) : thé Mu, thym, sarriette, origan, cannelle ou Yogui Tea...
- **OU cacao léger,** dégraissé et bio **OU poudre de caroube** (à l'eau ou mieux au lait végétal).

- **OU**, pour les inconditionnels, **café léger** et peu torréfié (de type *Maragogype*), éventuellement teinté d'une goutte de lait végétal (avoine, châtaigne, amande, riz, noisette) ; voire de la **chicorée** ou autres succédanés de café à base de chicorée, malt, glands torréfiés…
  Ne pas sucrer, ou légèrement avec du sucre complet de canne (intégral[23] et non roux), stevia, sève de kitul, sirop d'agave ou de malt.

◆ *Avec pour aliments solides* :

- **Soupe de légumes épaisse** (oserez-vous ce petit-déj' campagnard ?) ou **soupe Miso** pour une expérience à la japonaise.
- **OU « mendiant »** fait de fruits secs (noix de Grenoble, de Pécan, de Macadamia ou du Brésil, pignons de pin, noisettes…) et de fruits séchés trempés (pruneaux, figues, dattes, mangues, pommes…), éventuellement associé à un peu de fromage de chèvre ou de brebis mi-frais.
- **OU tartines de pain Essène**, voire de **pain bio au levain** (blanc ou complet selon l'état des intestins) + du beurre frais (très peu) ou mieux de la purée d'oléagineux (amandes, sésame, noisettes, cajou) + si besoin est, un peu de compote (pommes, poires, pruneaux, *Poiret* dit *sirop de Liège*) ou de sirop de céréales (*Amasaké,* sirop d'orge, blé), voire de sirop d'agave, de kitul… ou encore *une trace* de miel.[24]
  Éviter les confitures, surtout acidulées, d'association indigeste sur le pain.

[23] Rapunzel, La Vie Claire, Holle, Valdivia…
[24] En mettre trop inhibe la digestion et l'acidifie dangereusement !

- **OU une option** *« alimentation vivante »* parmi bien d'autres : Pain Essène + graines germées + oléagineux si possible trempés (pour une prégermination) + pollen frais + un jus de légumes crus chambré (sans tomate) et/ou un jus vert chlorophyllien, jus de pousses d'orge en poudre soluble *(Green Magma)* ou de blé et luzerne *(Algo Tonic).*

VI

Le vêtement

Après avoir pris soin de sa (première) peau précédemment, il s'agit de se couvrir – climat et activités obligent – le plus sainement, le plus confortablement, ainsi que le plus pratiquement possible, en fonction des activités du jour.

- **Sont essentiellement conseillées les fibres naturelles :** coton, lin, laine ou soie, voire les moins connues telles que le chanvre, le coco ou le bambou.

- **Veiller à ne pas être trop couvert** et préférer, par temps froid, plusieurs couches fines qu'une seule très épaisse.

- **Changer de linge** de corps chaque jour, bien entendu.

- **Alterner aussi deux ou trois paires de chaussures,** si possible chaque semaine, afin de ne pas habituer les pieds à une forme unique et de laisser s'aérer régulièrement les paires *en jachère.*

- **Découvrir les étonnantes nouvelles fibres associées aux *infrarouges* dits *lointains*,** tout à fait en sympathie avec la vitalité et l'électromagnétisme du corps : chaussettes, T-shirts...[25]

- **Enfin, l'Homme heureux est élégant,** sans jamais être futile ni esclave de la mode : il sait marier les couleurs et les matières avec goût, pour son plaisir tout autant que pour enrichir la dimension esthétique de sa relation à lui-même et aux autres.

[25] Via la société Alparis, Alain Huot – Tél. : +33 (0)6 83 32 30 90 – par exemple. Ainsi que sur les salons spécialisés.

VII

Vers son lieu de travail

L'Homme heureux connaît les lois et sait créer ses règles, aimait à répéter Claude Barreau.

- Aussi, pour ne pas entretenir la sournoise sédentarité et limiter le plus possible sa participation à la pollution planétaire (automobile), **l'Homme heureux choisit-il souvent la marche ou la bicyclette, voire la planche à roulette ou la patinette…**
  De plus, marcher rapidement utilise jusqu'à 500 kcal à l'heure ! Au pire, en ville, marcher sur une partie du chemin (quelques stations de bus ou de métro) et toujours choisir de grimper les escaliers plutôt que de se laisser porter par les mécaniques roulantes (excellent cardio-training !).
  Pour optimiser sa marche, penser à respirer en synchronisant ses pas, par exemple, en inspirant (sans forcer) sur

3 pas, en retenant son souffle sur 2 pas, puis en soufflant (à fond) sur 6 pas. Le tout par le nez, bien entendu. Laissons à la bouche ses fonctions vraiment prioritaires : embrasser, chanter et se nourrir…
Cette manière de marcher est souveraine pour se déstresser, se masser les viscères et le plexus solaire.

- S'il doit prendre la voiture, l'Homme heureux aura branché un **petit ioniseur** spécifique (qui se connecte à l'allume-cigare), s'il circule en ville. Il aura aussi équipé son véhicule de **correcteurs énergétiques** afin d'en neutraliser la pollution électromagnétique[26] ou bien, faute de mieux, il aura diffusé des huiles essentielles.
  Il aura enfin **réglé son siège** afin de respecter sa cambrure lombaire et tâché de placer ses fessiers le moins bas possible vis-à-vis de ses genoux.

- Il saura profiter enfin de son parcours pour **méditer paisiblement le bon déroulement de sa journée**, en planifier les temps forts, en visualiser déjà les réussites et les échanges fertiles.

[26] Cf. notes précédentes.

VIII

Au travail

Impossible d'envisager ici tous les cas de figure, car l'Homme heureux peut être employé, libéral, cadre, artisan, momentanément sans travail ou… rentier !

Sait-on toutefois que, jusqu'au XVIe siècle, le mot *travail* était synonyme de souffrance et de tourment dans toutes les langues d'origine latine ? C'est que pèse sur ce mot une étymologie effroyable : le supplice du trépan (du latin *tripalium,* instrument de torture à trois pieux). Difficile alors, même cinq siècles plus tard, de se départir de cette connotation délétère, bien installée dans notre inconscient collectif !

Pourtant, quoi de plus noble et de plus enrichissant pour soi et la collectivité que le travail, lorsqu'il est accompli comme un art, un service, une créativité, une participation à la croissance fraternelle ?

« Le travail, c'est l'amour rendu visible », chantait le Prophète du poète libanais Khalil Gibran.

Quelle que soit son activité, il faut savoir faire des pauses régulières pour :

- boire : en particulier de l'eau très pure, voire un jus de légume ou de fruit naturel ;
- se passer les mains sous l'eau fraîche et se débarrasser périodiquement de ses miasmes physiques (poussières, sueur, polluants divers), énergétiques (électricité statique), ainsi que psychiques (fatigue, soucis, stress) ;
- se recentrer, en respirant quelques fois profondément, bien planté en terre, aligné dans sa verticalité jusqu'au soleil, telle une relaxation ou une méditation expresse ;
- enfin, tâcher de trouver en soi une motivation propre à **transcender chaque fois que possible les difficultés de son travail quotidien**, afin d'offrir le meilleur de soi à la réalisation d'une quelconque croissance spirituelle : sur ce mode, il n'y a plus de place pour la perte de temps ou un sentiment de médiocrité, d'exploitation ou de frustration, et le travail peut devenir une merveilleuse opportunité de grandir en conscience, en connaissance, en maîtrise de soi, en habileté, en liberté.

Se rappeler que tout travail exécuté avec amour et conscience peut ainsi participer du sacré, vivifier et gratifier pleinement son auteur, et l'inscrire dans le plan créateur telle une cellule au service de l'harmonie collective, sociale et planétaire.

IX

Le déjeuner

Si le fameux *régime crétois* (ou méditerranéen) devient à juste titre très médiatisé depuis quelques années, il ne fait que confirmer scientifiquement, enfin, ce que les naturopathes enseignent et nomment le *régime hypotoxique* ou encore *biologique humain* depuis près d'un siècle ![27]

De quoi s'agit-il ? En clair, pour une personne de santé correcte, sous un climat moyen et d'activité moyenne, les apports suivants feront plus que satisfaire les sens, l'appétit et les besoins basiques (protides, lipides, glucides) : ils couvriront très largement les besoins catalyseurs ou annexes (oligoéléments, vitamines, flavonoïdes, antioxydants, enzymes,

[27] Le second régime le plus sain, parmi ceux qui participent d'une tradition millénaire est le régime japonais. Il correspond aussi à des records de longévité et à un taux exceptionnellement bas de maladies dégénératives.

fibres…) dont on connaît mieux aujourd'hui les intérêts protecteurs ou thérapeutiques vis-à-vis des pathologies dites *de civilisation.*

Cette alimentation saine devient alors une authentique *ordonnance* dans l'assiette, préventive comme autocurative, *pharmacodynamique,* comme aimait à le répéter le bon docteur Edmond Rostand.

Elle se compose des éléments suivants, régulièrement présents sur nos tables :

◆ *Des légumes crus variés*[28] :

Au moins en entrée d'un des repas.

- **Les légumes feuilles :** salades vertes (pourpier, roquette, mâche, moutarde, pissenlit, romaine, chicorée, cresson, épinards…), brocoli et autres choux (fleur, chinois, vert, frisé, rouge, marin, de Bruxelles, de Milan, Romanesco, Rapini…), fenouil, céleri (en branches et bulbes).
- **Les champignons.**
- **Les légumes racines :** panais, céleri-rave, radis rose ou noir, raifort, carotte, betterave rouge, navet, courgette, poivron, concombre, potimarron…
- **Des fleurs de :** souci, pissenlit, sauge, thym, potiron, mauve, guimauve, pourpier, coquelicot, rose de Provin, rose Trémière, églantier, courge, centaurée, romarin, géranium Rosat, capucine, menthe, acacia, violette, bourrache, ciboulette, jeune artichaut violet…

[28] Pour en savoir plus sur les légumes connus et moins connus, voir les sites suivants :
http://www.aprifel.com ;
http://www.servicevie. com/01Alimentation ;
http://www.saveursdumonde.net ;
http://www.lamacrobiotique.com/index.html

◆ Des *légumes cuits* :

Selon l'appétit et le climat.

- Haricots verts, blette, ortie, aubergine, fenouil, feuilles de vigne, céleri, aubergine, poireau, navet, artichaut, potimarron, courges diverses *(spaghetti, butternut, turban turc…),* pommes de terre, malanga, igname, pâtisson, kudzu, chayotte, taro, asperges…

Toujours préférer les cuissons douces (vapeur, papillote, wok, four aux infrarouges lointains, diable…) aux cuissons à l'eau, fritures, barbecues et autocuiseurs.

◆ Des *fruits*[29] :

Au moins 2 prises par jour (vers 11 heures et 17 heures).

- Pomme, cerises, pêche, ananas, mangue, goyave, pamplemousse, ugly, raisins, banane, nèfles, melon, fraises, framboises, figue, myrtilles, cassis…

◆ Des *oléagineux* :

En en-cas, dans les salades, les desserts d'hiver.

- Amandes ; noix de Grenoble, de cajou, de pécan, du Brésil, de coco ; noisettes ; pignons de pin ; graines de courge, de tournesol ; pistaches ; avocat…
  À mâcher très soigneusement.

◆ Des *protéines* :

- **Poisson ou coquillages :** surtout des huîtres et des moules, toujours très fraîches et de bonne origine.
- **Ou un œuf.**

[29] Pour les fruits connus et moins connus, voir les sites cités dans la note précédente.

- **Ou du fromage dont quelques fromages frais :** Spécialité *K-Philus* ou laitages d'origine *biodynamique* (si pas d'intolérance ni d'allergie), de chèvre de préférence, sinon de brebis ou, éventuellement, de vache.
- **Voire de la viande blanche,** si nécessaire, de temps en temps.

◆ Des *fruits séchés* :

En hiver, pour les sportifs…

- Dattes, raisins, pruneaux, figues, pêche, mangue, banane, poire…

◆ Des *céréales et graines* :

Complètes ou mi-complètes et, si possible, fraîchement germées.

Selon le climat et les besoins caloriques.

- Priorité aux céréales « sans gluten » bien connues : riz, sarrasin, millet, quinoa, maïs ; et moins connues : amarante, triticale, teff.
- Puis celles glutineuses : seigle, orge, avoine, blé, pilpil, semoule, boulgour, épeautre, kamut, seitan, pain issu de farines biologiques et impérativement au levain…

◆ Des *légumineuses* :

- Fèves, lentilles vertes et roses, petits pois, haricots (blancs, rouges, de Lima, jaunes…), soja, pois chiches…
  - **Soit** germées et en salade.
  - **Soit** pour remplacer une protéine animale, mais dans ce cas, toujours en association avec une céréale (3/4 céréale + 1/4 légumineuse).

– **Soit** pour compléter la ration protéique d'un repas végétalien (avec des protéines vertes : champignons, algues, orties, luzerne, jus de blé, oléagineux…).

◆ Des *aromates* :
Frais au possible.
- Persil, ail, oignon, ciboulette, coriandre, menthe, aneth, marjolaine, fleur de thym et de myrte, thym citronné, pimprenelle, estragon, mélisse, basilic, moutarde de raifort (wasabi)…
- Pour les plats chauds : romarin, laurier, livèche, sauge, curcuma, thym, origan, sarriette, girofle, nigelle, galanga, coriandre en grains, baies de genièvre, muscade et macis, cardamome, cannelle, pavot, sumac, ajowan, citronnelle, badiane, anis vert…[30]

◆ Des *condiments* :
- Fleur de sel, moutarde et fenugrec en grains (ou mieux encore, germé), gingembre, poivre rose et vert, pickles, sauce de soja bio (Tamari, Soyu), Gomasio (sésame broyé et salé), citron vert et jaune, vinaigre de cidre (ou de prune, de miel, balsamique…), angélique, Worcester Sauce…

◆ De *l'huile vierge de première pression à froid* :
Alterner ou mieux associer les huiles d'olive, de colza, de noix, de soja, de carthame, de tournesol, de graines de

[30] Les Parisiens sont invités à découvrir l'extraordinaire boutique Izrael : 30 rue François Miron, dans le Marais. Les produits ne sont pas d'origine bio, mais le choix et la qualité méritent la visite.

courge, de chanvre, d'œillette… pour pas moins de 3 cuillères à soupe par jour et par personne.
Ces huiles sont à utiliser crues, sauf l'huile d'olive qui supporte mieux la cuisson.
Très peu de beurre frais.

◆ De *l'eau pure* :
1,5 litre d'eau par jour (voire un peu moins selon l'apport de fruits ou beaucoup plus selon le climat et les activités).
Des tisanes, du thé vert…

◆ Du *vin rouge biologique* :
1 à 3 verres par jour, pas plus – et si cela est déjà un plaisir pour vous seulement!
1 verre de moins pour les femmes.
Jamais de vin avant l'âge adulte, ni pour les femmes enceintes ou allaitantes.

◆ Des *superaliments* :
À inviter très souvent sur sa table.
- Graines germées, pollen frais, K-Philus, huile au germe de blé, algues marines, eau de mer, jus de légumes lacto-fermentés (dont de choucroute crue), jus verts chlorophylliens, spiruline, lait de jument, kéfir de fruits ou de lait, kombucha (vinaigre de thé), kwas (vinaigre de pain ou moût de pain), Garum armoricum (lacto-fermentation de poissons d'origine celtique)…

◆ *Des compléments nutritionnels* :
À individualiser intelligemment, toujours avec l'aide d'un thérapeute.

- Huiles d'onagre, de chardon-marie ou de Cynara cardonculus, complexes antioxydants, protecteurs nerveux, harmonisants hormonaux, complexes poly-enzymatiques, probiotiques…

◆ *Enfin, le moins possible* :

- de **grignotage entre les repas,**
- d'**alcools** (apéritifs, digestifs),
- de **tabac,**
- de **café,**
- de **produits fumés,** cuits au **barbecue** ou **caramélisés,**
- de **charcuteries, abats et extraits de viandes,**
- de **sucres ordinaires et aliments sucrés :** soda, cola, sirop, limonade, glace, pâtisserie du commerce, barre chocolatée… Sucrer modérément avec du *sucre complet* dit aussi *intégral,* voire du miel, de la mélasse biologique, du sirop d'orge, d'agave, de kitul ou de datte ou du *sirop de Liège* sans sucre.

Construction-type d'un déjeuner

◆ *Une entrée de crudités fraîches*
Mêlant et variant au moins 3 ou 4 légumes (différents), des graines germées, beaucoup d'aromates, assaisonnée d'un mélange d'huiles biologiques (olive + colza ou noix, par exemple), de jus de citron (ou de vinaigre de cidre ou de riz, voire balsamique), de sauce de soja bio, d'un peu de purée d'oléagineux (onctuosité de la sauce).

En cas d'intestins sensibles, remplacer par un jus de légumes crus.

◆ *Une base protéique*

• Poisson gras, œufs, coquillages, fromages de chèvre ou de brebis.

Par temps froid particulièrement et selon ses activités, on pourra aussi opter pour une association végétale bien cuite et bien mâchée : 3/4 de céréale + 1/4 de légumineuse.

◆ *Un complément de légumes cuits*

• Légumes verts + farineux (patates douces, châtaignes, bananes-légumes, pommes de terre, manioc, rutabaga, topinambour, taro, crosne, salsifis) + nombreux aromates.

◆ *Dessert*

Toujours facultatif et très peu sucré.

• Quelques noix à bien mastiquer, compote ou pomme au four, crème de soja, tarte aux pommes maison, spécialité laitière *K-Philus,* quelques sablés bio, un carré ou deux de chocolat noir, ou un sorbet de temps en temps, en été.

◆ *Option « alimentation vivante »*

• **Crudités variées ou jus** (comme ci-dessus), sauce *K-Philus* (pour assurer une sécurité protéique si besoin est), avec un peu de **pain Essène.**

• **Protéine(s) :**

– **Poisson** à la tahitienne[31] (note ci-contre) ou **huîtres** (moules, praires) ou **fromage** de chèvre (ou de brebis) frais ou **saumon** fumé bio ou 2/3 de **céréales germées**

\+ 1/3 de **légumineuses germées** : en salade, en pâté végétal, en mousse…[32]

– **Papaye ou ananas frais** : fruits pleins d'enzymes protéolytiques, tout à fait acceptables en fin de repas de ce type.

◆ *Option « basconnaise »*

Il s'agit d'une grande salade composée, faisant office de plat unique, regroupant plusieurs crudités, variant les couleurs, associant des céréales à des légumineuses germées, des oléagineux, des champignons, des olives noires, un avocat, des algues marines[33]… avec un assaisonnement comme ci-dessus, enrichi éventuellement encore de pollen frais, de poudre de spiruline, de jus d'orge ou de blé déshydraté.
Penser aussi, à la campagne, aux « mauvaises herbes » étonnamment riches en protéines complètes, telles que : orties, plantain, bourse à Pasteur, achillée millefeuille, trèfle, livèche, salicorne, chénopode, mauve, berce, ache, consoude, bardane, mouron blanc, pourpier, stellaire, pas d'âne…[34]

[31] Faire macérer des lanières de poisson cru très frais dans du jus de citron et des aromates. Penser aussi aux sashimis japonais (poissons crus en petits morceaux), aux ceviches (poissons en lanières, jus de citron, ail, ciboulette, persil, oignons crus), aux tartares de poisson ou de Saint-Jacques…

[32] Découvrir la petite boutique parisienne Pousse Pousse (7, rue Notre-Dame de Lorette – 75009 Paris) pour son choix de graines germées, ses extracteurs de jus et ses dégustations exceptionnelles. Grand choix de graines à germer également chez Ludmilla de Bardo (56 rue de Dunkerque – 75009 Paris).

[33] Tartares d'algues, aramé ou iziki trempés, nori, dulce, wakamé, laitue de mer…

[34] Un très bon site parmi beaucoup d'autres : www.couplan.com

Quelques « plus » de l'Homme heureux

À intégrer peu à peu.

- **Priorité à la vitalité.** Après un tel déjeuner, on ne se sent certes pas prêt à l'action, mais jamais lourd (pas de somnolences postprandiales), ni excité (tonique, énergétisé, mais sans besoin de café), ni la bouche pâteuse (pas de mélanges indésirables ni de dessert très sucré).
- **Magnétiser ses plats.** Surtout lorsqu'ils sont pris à l'extérieur, magnétiser ses plats peut devenir une habitude porteuse de mille bienfaits. En toute discrétion, placer simplement ses mains de part et d'autre de son assiette. Imaginer *(faire comme si, visualiser, ressentir)* des rayons lumineux qui irradient de ses paumes, de ses doigts, et qui purifient et vitalisent les aliments.
  Si ce mode profane est déjà étonnamment efficace (tests radiesthésiques, kinésiologiques et photos Kirlian à l'appui), certains souhaiteront le vivre sur un mode plus sacré, en bénissant leur repas et en invoquant le plan spirituel approprié à leur foi : Adonaï pour les Juifs ; Source cosmique pour les Théosophes ; Père céleste, ange gardien ou Christ pour les Chrétiens ; Bouddha de médecine pour les Orientaux ; Claire Lumière pour les Tibétains…
- **Respirer lentement, profondément et par le nez.** Au moins trois fois au début et à la fin du repas, ainsi qu'aux changements de plats. Non seulement favorables sur le plan de la physiologie digestive (massage diaphragmatique, donc gastrique, hépatobiliaire, pancréatique et intestinal), ces respirations sont relaxantes (détente du plexus solaire), aident à la bonne circulation de la part la plus subtile des aliments (Chi, prâna, éthers…) dans les

circuits correspondants (méridiens d'acupuncture, nâdis, chakras).

- **Mastiquer longuement est aussi indispensable.** Voir le tableau (page suivante) qui en résume l'intérêt en neuf points.
- **Sur le plan psychologique,** ne pas négliger d'entretenir une attitude active, qui, de temps en temps, peut nourrir l'intellect (réflexion positive sur ce que l'on mange) autant que l'affect (du plaisir à la joie et du remerciement à l'action de grâce, se crée une belle histoire d'amour avec l'aliment).

  Se nourrir ainsi peut devenir un véritable *Yoga de la nutrition* (Hrani yoga) et participer de la santé holistique au quotidien.

Vers 11 h 00 et 17 h 00

- **Pause « fruits frais »**[35]

  Les fruits se digèrent très vite, quittent l'estomac presque immédiatement pour être assimilés dans le duodénum ou le début de l'intestin grêle. Étant d'un métabolisme acide (acides organiques naturels : citrique, malique, tartrique...), ils ne sont donc pas du tout conseillés à la fin des repas, surtout ceux à base d'aliments farineux.

  Pour les adolescents, les travailleurs ou les sportifs très actifs et les femmes enceintes, il est toutefois possible d'associer à ces pauses « fruits » une protéine digeste (*K-Philus* ou pollen frais, voire fromage frais, kéfir ou tofu).

[35] Éviter absolument les fruits acides en hiver, surtout le matin, pour les personnes frileuses, anxieuses, stressées, déminéralisées ou dévitalisées (en sous vitalité).

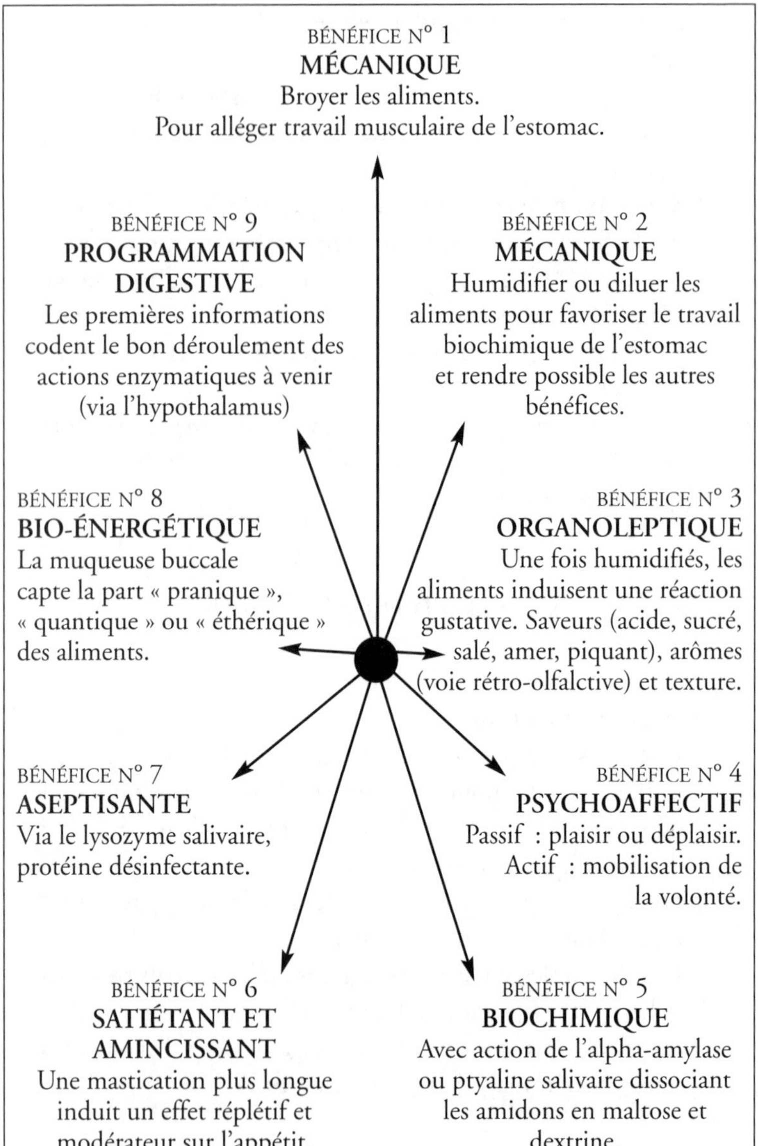

BÉNÉFICE N° 1
MÉCANIQUE
Broyer les aliments.
Pour alléger travail musculaire de l'estomac.

BÉNÉFICE N° 2
MÉCANIQUE
Humidifier ou diluer les aliments pour favoriser le travail biochimique de l'estomac et rendre possible les autres bénéfices.

BÉNÉFICE N° 3
ORGANOLEPTIQUE
Une fois humidifiés, les aliments induisent une réaction gustative. Saveurs (acide, sucré, salé, amer, piquant), arômes (voie rétro-olfalctive) et texture.

BÉNÉFICE N° 4
PSYCHOAFFECTIF
Passif : plaisir ou déplaisir.
Actif : mobilisation de la volonté.

BÉNÉFICE N° 5
BIOCHIMIQUE
Avec action de l'alpha-amylase ou ptyaline salivaire dissociant les amidons en maltose et dextrine.

BÉNÉFICE N° 6
SATIÉTANT ET AMINCISSANT
Une mastication plus longue induit un effet réplétif et modérateur sur l'appétit.

BÉNÉFICE N° 7
ASEPTISANTE
Via le lysozyme salivaire, protéine désinfectante.

BÉNÉFICE N° 8
BIO-ÉNERGÉTIQUE
La muqueuse buccale capte la part « pranique », « quantique » ou « éthérique » des aliments.

BÉNÉFICE N° 9
PROGRAMMATION DIGESTIVE
Les premières informations codent le bon déroulement des actions enzymatiques à venir (via l'hypothalamus)

Neuf arguments en faveur de la mastication

X

Les ablutions du soir

Une fois rentré chez soi, pour bien tourner la page des activités du jour, il est indispensable de recourir à quelques ablutions, afin de laver son corps (sueur, poussières…) et de symboliser également l'abandon des énergies passées, souvent synonymes de fatigue ou de pollutions diverses.

- **Ne surtout pas négliger de se changer :** ne pas garder ses chaussures de ville à la maison et prévoir de se vêtir confortablement.

- **Ranger aussi ses affaires** liées aux activités professionnelles dans un espace distinct des activités privées : geste hygiénique, symbolique et bon *Feng Shui* sur le plan énergétique !

- **La douche chaude** est ensuite idéale, rapide, économique et efficace.

- **Le bain tiède** est aussi relaxant lorsqu'il est pris entre 37 et 39 °C. D'une durée de 10 à 20 minutes, on peut y ajouter une dizaine de gouttes d'huiles essentielles propres à détendre les masses musculaires et le système nerveux : lavande fine, marjolaine, petit grain bigarade ou basilic, par exemple. Toujours bien diluer à l'aide d'un dispersant (*Solubol, Disper,* savon liquide moussant, voire simplement jaune d'œuf ou lait concentré entier et non sucré).

- Parfois, on préférera de simples **maniluves et pédiluves** qui, lorsqu'ils sont pris très chauds (de 39 à 43 °C), s'avèrent souverains pour détendre rapidement le plexus solaire, faire dériver les énergies concentrées au niveau crânien et relancer le système nerveux parasympathique sur le mode de la récupération.

XI

Les activités du soir

La fin de l'après-midi est propice à des activités diverses, mais il est bon de respecter les règles de l'alternance en fonction des ouvrages de la journée : se libérer la tête par des activités corporelles en cas de travail intellectuel, voire l'inverse en cas de travail plutôt physique.

Si les horaires s'y prêtent, il est souhaitable, par exemple, de consacrer ce temps à :

- **Du jardinage :** excellente activité de ressourcement, souveraine pour se réconcilier avec la terre, l'eau, le végétal… même sur son balcon!
  Pour les dos fragiles, apprendre à se pencher impérativement en pliant les genoux ; ne pas se pencher en avant ; porter les charges dos bien droit et au plus près du corps.

- **Une activité corporelle** parmi celles proposées dans cet ouvrage le matin ou, plus simplement, selon les opportunités : marche oxygénante, piscine, bicyclette, sport non stressant, voire bricolage à la maison…

- **Une activité ludique**, avec un enfant par exemple, un ami, un voisin, ou encore son animal de compagnie.

- **Un soin** à recevoir de la part de son partenaire ou de son naturopathe préféré, tel que séance d'ostéopathie, massage, réflexologie plantaire, soin esthétique, acupuncture, sophrologie…

- **Un soin « maison »**, tel que :
  - masque à l'argile,
  - automassage des pieds aux huiles essentielles,
  - utilisation du *pouchi-pouli,* sorte de cordelette chinoise équipée de boules de bois, très utile pour se détendre les épaules ou les reins quand on est seul,
  - ou encore celle d'un petit appareil pour la réflexologie plantaire (de nombreux modèles sont disponibles sur les salons spécialisés).

- **Une séance de Bol d'Air Jacquier**[36], souveraine pour parfaire l'oxygénation sanguine, revitaliser l'arbre respiratoire, voire pour participer à la régénérescence des immunités naturelles ou même à la perte de poids.

- **Une séance de « Balancelle »**, un confortable fauteuil relax motorisé, réglé sur une bascule précise et minutée, lié aux travaux de l'un de nos bons maîtres, Mme Lydia Sébastien.

[36] Méthode largement développée dans *Encyclopédie de revitalisation naturelle,* éd. citée.

Technique relaxante, puissamment anti-âge et régénératrice cardiovasculaire[37], grâce à ses bascules qui activent les échanges humoro-cellulaires de tout l'organisme. Il n'existe que très peu de contre-indications à cette pratique que nous conseillons régulièrement (en cas d'hypertension artérielle non stabilisée et de glaucome notamment).

- **Des respirations** adaptées à cette période de la journée (dans le cadre d'une séance de Hata Yoga ou de Ki-Gong par exemple), voire **une méditation** du soir, assise silencieuse propre à apaiser, aligner et recentrer.

- **Une activité artistique :** musique, chant, peinture, sculpture…

- **La préparation du repas** (ou participation à celui-ci). À tous les âges de la vie, si cuisiner ne demande pas de qualités exceptionnelles, cette activité peut devenir un vrai plaisir simple. Au mieux, elle sera source de créativité, d'imagination, voire une méditation dynamique où chacun pourra charger les plats d'un peu du meilleur de soi.

Toutes ces activités, pratiquées régulièrement ou par alternance, sont en fait très utiles pour nourrir nos trois cerveaux (archaïque, limbique et cortical)[38] et concourent à une excellente hygiène préventive et holistique (psychosomatique autant que somato-psychique, ainsi qu'énergétique, neuroglandulaire et spirituelle).

[37] Appareil présenté en détail dans *Comment se régénérer pour bien vieillir*, éd. citée.

[38] Les *fonctions corticales* se nourrissent grâce à la relaxation, un sommeil de qualité, la pensée positive créatrice, l'alternance de temps d'étude et de repos cérébral ludique, la rationalisation des croyances erronées et des émotions perturbatrices, le développement du « témoin intérieur », la symbolisation, la méditation... ➡

(suite note [38])
Les *fonctions limbiques,* grâce à l'écoute attentive des émotions, la verbalisation des conflits, des frustrations, des souffrances et blessures affectives, la visualisation et la contemplation, les massages de type californien, ceux maternants, *yin* (type Milton Trager), une activité artistique régulière, un cheminement spirituel.
Les *fonctions reptiliennes,* grâce à des soins du corps (massages, relations sexuelles épanouies...), la relaxation dite coréenne, le massage et la détente des muscles masticateurs, le travail manuel (construire sa maison, couper son bois…), le contact privilégié avec la terre, le tellurisme (jardinage, grands arbres…), la gestion optimum de l'espace vital personnel (le territoire), la pratique d'une activité corporelle où la volonté personnelle peut s'exprimer, la réconciliation avec l'instinct alimentaire, les parfums naturels…

XII

Le dîner

En règle générale, il est léger et plus frugal que le déjeuner, afin d'assurer une digestion optimum et un sommeil récupérateur. L'Homme heureux s'y présente détendu, souriant, rayonnant.

Nous proposons les options suivantes :

- Le modèle proposé plus haut à midi, *si* le déjeuner a été remplacé par un en-cas, faute de temps, et *si* ce dîner est pris assez tôt (entre 18 h 30 et 19 h 30).

- Un modèle tel qu'une **soupe** de légumes par temps froid (épaisse et non brûlante) ou des crudités variées par temps plus chaud + une salade composée + un petit dessert peu sucré (voir midi).

- Un modèle **plat unique** sur la base de la *basconnaise,* vue plus haut.

- Une option **alimentation vivante,** telle qu'un jus de légumes crus ou une soupe crue (gaspacho) + une salade composée avec des graines germées (à tester car, parfois, elles sont trop dynamisantes, le soir, pour les personnes très sensibles) + un petit apport protéique (œufs, oléagineux, fromage frais de chèvre, huîtres, céviche de poisson ou poisson à la tahitienne, tartare de poisson...) ***ou*** petit apport farineux (riz, millet, quinoa, sarrasin, polenta, tarte ou quiche de légumes, voire pâtes ou pommes de terre, châtaignes, potimarron...).

- Une option **repas monodiététique,** surtout en cas de surcharges pondérales ou si l'on souhaite laisser au repos les fonctions digestives pour quelques soirées. Choisir alors un aliment que l'on aime, en accord avec la saison, et ne faire aucun mélange lors de ce repas : cerises, fraises ou jus de légumes crus au printemps, pêches ou pastèques ou ananas ou papayes ou mangues en été, pommes cuites ou raisins à l'automne, céréale ou patates douces ou potimarron en hiver.[39]

- Enfin, une option **sortie restaurant** peut s'avérer agréable. S'il sait que le plaisir et la convivialité neutralisent occasionnellement bien des imperfections des menus pris à l'extérieur, l'Homme heureux préfère souvent les tables plus saines, en particulier celles des restaurateurs méditerranéens (cuisine crétoise, grecque ou libanaise), japonais ou végétariens, plus proches de ses idéaux nutritionnels.

[39] Daniel Kieffer, *Cures naturopathiques pour drainer le corps et l'esprit,* Éditions Grancher, 2005.

Noter que ces diverses options proposeront plutôt une *dissociation* des protéines et des farineux le soir (repas plus digeste et plus léger) alors qu'on peut favoriser les *associations* plus librement le matin et le midi.

- Une **infusion du soir** peut être la bienvenue en fin de repas, telle que : marjolaine, oranger, passiflore, basilic, anis vert, verveine citronnelle, tilleul peu infusé, aspérule odorante, bétoine, thé des montagnes (crapaudine des Alpes ou *sideritis*).

XIII

La fin de soirée

L'après-dîner demeure un temps privilégié pour de nombreuses activités familiales ou solitaires de qualité, parmi lesquelles nous pouvons conseiller :

- **La lecture d'un bon livre.** Si se cultiver ou se détendre par la lecture fut un temps traditionnel de précieuse nourriture intellectuelle et spirituelle pendant des siècles, cela semble une option de moins en moins prisée par les générations depuis les années 70, dieux Télévision et Internet obligent ! C'est dommage !

- **La promenade.** La marche tranquille de l'après-dîner (*Paseo* encore très apprécié des peuples latins et méditerranéens) aide considérablement la digestion, oxygène, relaxe le mental des tensions de la journée et permet aussi de bavarder sur un mode très convivial.

- **Les échanges entre amis** sont d'inégalables temps d'écoute, de partage, de réflexion, voire d'étude ou de débat – en évitant toujours les discussions conflictuelles ou passionnelles, peu propices à la qualité du sommeil qui suivra !

- **L'écoute de bonne musique**. Puisque la technologie met aujourd'hui à notre portée une grande qualité musicale, ne négligeons pas cette nourriture de l'âme qui concilie détente, imagination créatrice, harmonisation psycho-énergétique, voire contemplation.

- **Une soirée spectacle :** théâtre, cinéma, concert, danse, humour…

- **L'assise silencieuse.** Que ce soit sur le mode chrétien, zen, yogique ou sophrologique, faire silence en pleine conscience n'est jamais du temps perdu pour l'Homme heureux ! L'essentiel est de s'asseoir (sur une chaise, un zafu, un shogui[40]) dos droit, épaules basses, cervicales étirées et menton légèrement rentré. Cette méditation du soir peut ensuite s'orienter vers une réflexion paisible (sur tel ou tel thème), un symbole (icône, mandala, flamme, fleur…) ou, plus simplement encore, vers l'observation du souffle naturel (lent, nasal, ventral).

- **Une séance de relaxation :** Yoga Nidra[41], sophrologie[42], méthode de Schultz, de Jacobson, de Vittoz…

---

[40] *Zafu :* coussin de méditation. *Shogui* : petit banc de méditation. Ces deux sièges permettent de s'asseoir au sol en tailleur ou en demi-lotus sans effort.

[41] Par exemple, voir les cassettes de Micheline Flak via le site www.satyanandashram.asso.fr

[42] Voir, par exemple, les cassettes de Catherine Jamet (1, rue Tahan – F-78400 Chatou).

- **Un échange de massage :** c'est là l'opportunité de s'offrir et d'offrir à son partenaire (ou à ses amis, ses enfants, ses parents) un temps de plaisir, de détente et de bien-être pour le corps et l'esprit.

- **Un espace-temps ludique**, à partager avec les enfants ou ses proches.

- **Un temps de créativité** personnelle ou partagée : danse, musique, peinture, poterie, écriture…

- **La tenue d'un journal intime,** activité habituelle à l'âge de l'adolescence, mais pouvant s'inscrire très utilement dans une démarche de psychothérapie ou d'auto-analyse chez l'adulte.

- Enfin, si le discernement permet de sélectionner de temps en temps un bon programme, **une soirée TV** n'est pas exclue pour l'Homme heureux !

XIV

Le coucher et le sommeil

S'il tend à se ritualiser peu à peu en pleine conscience, tout comme l'étaient le réveil et le lever, le coucher de l'Homme heureux ferme harmonieusement la boucle des activités du jour.

◆ *Sur le plan physique*

- **Se brosser soigneusement les dents** et se masser les gencives (voir les ablutions du matin).
- Veiller à l'**aération** naturelle de la chambre (fenêtre plus ou moins ouverte) et surtout, à sa **température** modérée. Il vaut toujours mieux une bonne couette ou une couverture de plus qu'une atmosphère dépassant 18° C !
- Assurer un **air humidifié** (hygrométrie entre 65 et 75), voire très légèrement parfumé : encens japonais, pot-pourri, diffusion d'huiles essentielles d'ambiance…

- Choisir une **literie** ferme, faite de matériaux nobles, et **rehausser** éventuellement un peu les pieds du lit pour une meilleure circulation de retour.
- **Se vêtir** très légèrement (si cela est indispensable, seulement!).
- S'offrir au besoin les bienfaits d'une **bouillotte chaude** sur le foie, surtout en hiver ou après un éventuel surmenage digestif (la fonction antitoxique du foie est essentielle et c'est l'organe le plus chaud du corps). Aux pieds, la chaleur aidera, répétons-le à détendre le plexus solaire.
- **Se tourner autant que possible sur le côté droit** pour de nombreuses très bonnes raisons : favoriser la vidange gastrique, le réchauffement du foie, la libération du cœur ainsi que celle de la narine gauche, connue des Orientaux pour être propice aux fonctions cérébrales liées au parasympathique et au sommeil.

◆ *Sur le plan énergétique*

- **Orienter la tête de son lit vers le Nord** ou, faute de mieux, vers l'Est. En cas d'impossibilité technique, recourir à des aimants très particuliers reproduisant le champ magnétique terrestre.[43]
- **Éviter le plus possible de dormir auprès d'un appareil électrique ou du passage de câbles** (nuisances électromagnétiques et pollution liée au réseau domestique dit de *50 Hertz*).
- Éliminer de même tous les **miroirs** ainsi que les tableaux, meubles ou décorations pouvant évoquer des informations, mémoires ou charges négatives.
- Utiliser un **ioniseur** pour corriger les fréquentes surcharges atmosphériques en ions positifs. Placé à distance du

[43] De type *Actipol* (Auris) – via les salons spécialisés ou le site www.magnetotherapie.fr/

lit, ce petit dispositif assurera un air de qualité comparable à celle des forêts de pins ou des cascades en montagne.[44] Il est très utile aux asthmatiques, spasmophiles, allergiques, asthéniques et dépressifs.

◆ *Sur le plan psychologique*

- Être attentif au passage du **train du sommeil** (bâillements, lourdeur des paupières) et ne pas résister à cet appel chronobiologique du complice marchand de sable !
- Se conformer au principe du **rituel de l'endormissement.** Bien connue des sportifs de haut niveau lorsqu'ils voyagent, cette procédure fait référence à nos habitudes personnelles et souvent à des programmes archaïques ou liés à l'enfance : des objets familiers sur la table de chevet, la position précise du corps ou quelques derniers gestes sont autant de moyens favorisant considérablement l'endormissement et assurant une forme inconsciente de sécurité psycho-environnementale.
- Formuler quelques **résolutions positives** (les traditionnels *sankalpas* du Yoga Nidra) pour soi comme pour l'humanité, la planète.
- Évoquer (souhaiter clairement) une forme de **programmation consciente de ses rêves** ou, simplement, leur mémorisation pour le lendemain matin. Programmer de même l'heure de son réveil (ça marche !), convaincu que ce sera l'opportunité d'une nouvelle journée heureuse.
- **S'abandonner** enfin au sommeil, en totale confiance, car bien des insomnies sont liées à des difficultés à lâcher prise... Les bras accueillants de Morphée sont aussi ceux

[44] Par exemple, l'œuf d'albâtre du laboratoire ACD Ionisation – Tél. : +33 (0)5 61 91 70 06.

d'Hypnos, dieu du sommeil – lui-même frère de Thanatos (dieu de la mort) !

◆ *Sur le plan spirituel*

- **Se visualiser entouré d'une bulle lumineuse :** imaginer tout son corps protégé d'un large ovoïde ou d'une lumière blanche, très confortable et souple, uniquement perméable aux énergies et informations favorables. Les croyants pourront, comme au réveil, confier la protection de cette robe énergétique à l'entité de référence spirituelle de leur choix.
- **S'entraîner à l'exercice quotidien de la rétrospection,** c'est-à-dire récapituler les temps forts de sa journée, en appréciant pleinement les moments gratifiants, créatifs ou heureux, en révisant aussi les moments moins glorieux : ne pas tourner trop vite la page de ses bavures, maladresses ou imperfections évite de les renouveler à l'avenir sans en tirer de leçon ; les revivre en cet instant avec un sentiment de conscience adulte et responsable participe de l'intégration positive et évolutive de la vie quotidienne. C'est l'authentique *contrition* qui, bien loin d'une coulpe battue avec de la culpabilité stérile, ouvre à un profond désir de toujours mieux faire, vis-à-vis de soi comme d'autrui.
- **S'accorder un temps de prière.** Nullement réservée aux religieux (voire aux bigots ou autres intégristes de la foi), la prière est un simple dialogue du cœur avec le créateur, quel que soit son nom. Selon l'inclinaison du moment, se laisser aller à un remerciement pour la journée passée (action de grâce), à un chant de gratitude et de vénération (louange), à une demande pour soi, autrui, l'humanité ou la planète (supplique), ou à la récitation consciente d'une prière traditionnelle (oraison).

La prière tisse en effet des liens subtils entre la personnalité (l'ego, l'être existentiel) et l'individualité (le Moi supérieur, l'être essentiel). Elle nourrit une précieuse complicité entre le créateur et la créature, prodigue bien des grâces et des bénédictions et peut conduire celui qui la pratique sur l'un des cheminements de la transpersonnalité.
Il est aussi possible de psalmodier quelques minutes une courte phrase chargée de sens spirituel (mantra, litanie) ou encore, pour les moins engagés dans tel ou tel processus cultuel ou telle ou telle croyance, de méditer une page de texte, si celui-ci est, bien entendu, porteur de sens sacré ou d'évolution personnelle.

- Pour l'Homme heureux, **méditer**[45] est aussi banal et nécessaire que de se coiffer ou de se brosser les dents! Il sait que la méditation est non seulement la mastication fertile d'une pensée, propre à produire du sens spirituel (intuitions, inspirations, révélations, songes), mais aussi une voie silencieuse de *verticalisation,* alignement et recentrage de l'être paisible et joyeux. Cette activité quotidienne permet alors l'accès à la transcendance, l'expérience intime et bienfaisante de la plénitude au cœur même de la vacuité psychique.[46]

« Le fruit du silence, c'est la prière ; le fruit de la prière, c'est la foi ; le fruit de la foi, c'est l'Amour ; le fruit de l'Amour, c'est le service ; et le fruit du service, c'est la paix. »
Mère Térésa

[44] Prière et méditation se pratiquent plutôt en position assise.
[45] Paradoxe de la pensée orientale : la quête de la vacuité ne débouche pas dans un vide angoissant, mais dans une plénitude épanouissante.

XV

La sexualité

Ce chapitre mériterait bien entendu un ouvrage tout entier, mais évoquons néanmoins ici quelques aspects chers à l'Homme heureux.

Ce dernier sait que sa sexualité :

- est une fonction naturelle et physiologique, impliquant de nombreuses et complexes connotations[47] énergétiques, émotionnelles, intellectuelles, spirituelles[48] et socioculturelles ;
- doit s'adapter à son âge, à ses activités du jour et de la saison, tout autant qu'à sa vitalité, sa santé et ses aspirations ;

[47] Collectif, *ABC de la sexologie,* Éditions Pardes, 2003.
[48] Omraam Mikhaël Aïvanhov, *L'amour et la sexualité,* Éditions Prosveta, 1990.

- tend vers toujours plus d'harmonie et de respect pour sa compagne et ses aspirations ;
- ne confond pas communion et amour fusionnel (infantile ou narcissique) ;
- s'ouvre aux voies sexuelles du tantrisme[49] ou du taoïsme[50], lesquelles ne sont pas réservées à une élite, mais ouvrent à une joyeuse école de maîtrise de soi, de connaissance et de réalisation partagées ;
- est une fête des corps et des sens, qui ne se dissocie pas de celle des cœurs et des âmes ;
- préfigure et reproduit à l'échelle humaine un peu des noces cosmiques éternelles : l'Homme heureux sait ainsi qu'il serre contre son cœur non seulement sa compagne, mais aussi un peu de la Mère divine (sa compagne pressentant en lui un peu du Père céleste) ;
- tend à privilégier les échanges subtils (bioénergétiques, fluidiques, psychiques) plutôt qu'à systématiser la jouissance physiologique : faire l'expérience de rapports très prolongés par exemple (20, 30, 60 minutes ou plus), sans perte de semence, peut initier le couple à une nouvelle dimension de la sexualité. Et si l'orgasme (masculin) n'était pas toujours synonyme d'éjaculation ? Et si, Mesdames, vous n'étiez pas que les gardiennes du feu du foyer, mais aussi celles du feu sexuel de votre amant ?
- s'oriente toujours vers l'option qualité des rapports plutôt que vers l'option *quantité*. Le poète chante que *« le plaisir est un chant de liberté, mais il n'est pas la liberté »*. Le sage répond que *« le désir n'est pas ce qui aliène l'humain »*, mais plutôt *« l'attachement au désir »*...

[49] Mitsou Naslednikof, *Le chemin de l'extase,* Albin Michel, 1996.

[50] Jolen Chang, *Le Tao de l'art d'aimer,* Calmann-Lévy, 1996 – Mantak Chia, *Le tao de la sexualité (masculine et féminine) retrouvé,* Guy Trédaniel, 1995.

Dans cet esprit, il ne souhaite céder ni à la bête ni à l'ange et oriente sa vie sexuelle, en conscience, tantôt vers le plaisir, tantôt vers la sacralisation, voire vers la procréation consciente de sa descendance.

Libre, l'Homme heureux s'est départi des tabous, de la jalousie, de la frustration et de la possessivité, ce qui ne le rend pas pour autant indifférent ou anarchiste dans sa vie de couple.

> *« Il n'y a pas de hasard, il n'y a que des rendez-vous. »*
> Paul Éluard

◆ *Quelques conseils de plus* !

- Faire l'expérience de rapports sexuels juste après le lever du soleil et comparer son ressenti profond vis-à-vis des relations partagées le soir.
- Si les improvisations et les surprises innovantes ne sont pas interdites en matière de sexe, ne pas négliger tout ce qui peut optimiser le cadre et l'ambiance : musique et lumière douces, bougies, encens…
- S'attacher tout particulièrement à ce qui nourrit le désir et la libido bien en amont des relations sexuelles proprement dites, car l'érotisme est aussi affaire de mots dits et non dits, de tendresse, de regards, de complicité et de présence empathique tout au long de la journée.
- Se parfumer aux huiles essentielles, attentif aux attentes de l'autre : santal, ylang-ylang, rose, myrrhe, patchouli, lavande fine, benjoin, nard…
- S'investir généreusement dans les préludes[51] amoureux qui, s'ils sont connus pour être souvent indispensables au

[51] *Prélude* signifie littéralement « avant le jeu ». En Polynésie, on ne dit pas « faire l'amour » mais « jouer ensemble » !

plaisir féminin, s'avèrent souvent aussi précieux pour les deux partenaires que l'acte lui-même. L'entretien régulier de cet état amoureux vaut tous les aphrodisiaques, et si le recours à quelques stimulants naturels[52] n'est pas exclu en naturopathie, la qualité relationnelle demeure prioritaire dans la dynamique du couple, à tous les âges de la vie.

◆ *Quelques « clés » pour les célibataires*

- Seul, l'Homme heureux ne souffre pas de sa solitude mais en explore attentivement les causes cachées et les conséquences.
- Il *n'attend surtout pas* l'autre, mais *se prépare* à sa rencontre. Ceci exclut déprime, anxiété ou frustration, et renforce quotidiennement tout ce qui a trait à sa santé, son autonomie, son rayonnement personnel et sa communication harmonieuse.

---

[52] Aliments : roquette, huîtres, céleri, aromates (tels que gingembre, cannelle, vanille, safran, muscade, girofle...), plantes (berce spondyle, sarriette, schizandra, muirapuama, mâcre, graines d'ortie...).

- S'il peut s'autoriser la masturbation occasionnelle, il n'oublie pas que sa semence est un concentré d'énergie vitale exceptionnelle et en évite donc le gaspillage fréquent.[53]
- Il connaît aussi les voies de la sublimation sexuelle (dérivation des tensions via le sport, les exercices physiques, le travail…) ou, mieux encore, celles de la transcendance (élévation des tensions sur des plans plus subtils tels que chant, Ki-Gong, art, méditation…).

[53] Considéré comme du *soleil liquide,* le sperme est issu du rein énergétique selon les Chinois (surrénales, énergie dite ancestrale). Or, ce même organe génère aussi la voix (le chant), l'action courageuse (force de travail, arts martiaux) et les immunités (santé, énergies défensives, vitalité).

◆ « *Clés* » *pour entretenir les fonctions gonadiques* (*testicules, ovaires*)

- **Pressions rythmées des testicules**[54] : exercice de jouvence très rarement diffusé au profane, il est pourtant bien utile aux messieurs dont la libido s'épuise sous les effets de l'âge ou du stress. Traditionnellement utilisé comme exercice de longue vie, tout l'art de cette pratique tient à la constance de l'exécution – chaque jour de sa vie, si possible – et à la précision du geste.
  Il s'agit de prendre tout d'abord le testicule gauche entre les doigts de la main gauche, avant de s'endormir par exemple ou mieux au réveil. Presser alors doucement, un peu comme on tâterait la maturité d'une prune, sur un rythme régulier de 2 secondes (presser pendant 2 secondes puis relâcher pendant 2 secondes), *le nombre exact de fois correspondant à son âge* (30 fois à 30 ans, 80 fois à 80 ans…). Changer ensuite de testicule et de main.
  Attention : Ne pas pratiquer en cas de troubles de la prostate, d'inflammation, de tumeur ou de simple douleur testiculaire. L'exercice *ne doit jamais* provoquer de douleur. Respirer généreusement et lentement pendant tout l'exercice : les sensations subtiles de *diffusion énergétique* dans tout le corps sont étonnantes !

- **Pour les femmes,** un exercice assez analogue peut se pratiquer. Il est inspiré des clés de *Prana Vidya* et de *Tao Yin Fa* traditionnels.
  Frotter énergiquement ses mains l'une contre l'autre au préalable, au-dessus de la ligne des yeux, et ressentir la chaleur et les picotements qui s'installent vite entre les deux mains, une fois mises à distance de quelques

[54] Extrait de *Encyclopédie de revitalisation naturelle,* éd. citée.

centimètres. Placer alors les mains à plat sur les ovaires, assise droit et confortablement. Imaginer que l'on respire lentement (visualiser si possible) de la lumière solaire très pure venant couler jusque dans les bras et les mains à l'expiration. *Faire comme si* l'on expirait lentement cette énergie par les mains pour recharger, dynamiser, magnétiser les ovaires…
Pratiquer une douzaine de fois et jamais plus de quelques minutes sans la surveillance d'un professionnel de l'énergétique. Ne pas pratiquer en cas d'inflammation, de douleur ou de tumeur des ovaires.

Ces exercices peuvent être utilement complétés par la pratique des **bains de siège froids**.

XVI

Autres activités périodiques : eau, soleil, argile, jeûne et cures, art, voyages, formations, vie associative, engagement biopolitique…

Après avoir parcouru ce panorama des 24 heures de l'Homme heureux, attardons-nous, pour quelques lignes encore, sur d'autres activités utiles à sa santé holistique.

L'eau

Outre les conseils déjà donnés (douches écossaises, bains, pédiluves et maniluves, lavage des sinus…), les pratiques d'hydrothérapie sont innombrables. En voici quelques-unes que l'on pourra intégrer périodiquement dans son hygiène de vie :

◆ *Le grand nettoyage du yoga*

Nommé en sanscrit *Shankaprakshalâna,* il consiste à boire plusieurs verres d'eau salée et à pratiquer quelques postures simples. Une circulation interne de l'eau s'opère alors et permet un nettoyage profond de tout le tube digestif.[55]

◆ *Les douches rectales, les lavements et les hydrothérapies du côlon*

Pratiqués sur les conseils d'un professionnel de santé, ils rendent de grands services, de toute évidence, aux personnes constipées, mais aussi à celles souffrant d'allergies, de dermatoses, de troubles digestifs et respiratoires chroniques, de surpoids, voire de maladies neurologiques et psychiatriques.[56]

◆ *La cascade imaginaire*

Assis le dos droit sans effort, au calme, imaginer simplement que l'on s'approche doucement d'une superbe cascade par une journée de grand soleil. Penser à un souvenir réellement vécu si possible. Pressentir déjà la fraîcheur, la pureté de l'eau… S'approcher encore et ressentir le désir de recevoir cette eau sur le corps, sur la tête… et associer à ce geste un symbolisme de nettoyage, de purification, voire de baptême… selon sa conscience. Sentir l'eau couler plus ou moins puissamment des sommets jusqu'à soi. Lui abandonner sans scrupule toutes les charges, les peurs et angoisses, tout le stress, librement, consciemment, lentement…

[55] Voir de Daniel Kieffer, *Régénération intestinale,* Éditions Jouvence, 2005.
[56] *Ibid.*

Un fond sonore de cascades (à enregistrer soi-même ou à se procurer dans les rayons « musiques nouvelles » ou « fonds sonores d'ambiance » chez les grands disquaires) ajoutera bien évidemment une aide à l'exercice.

À pratiquer par cures de plusieurs jours, à raison de quelques minutes par jour. Bien noter les modifications de comportement ou de santé qui ne tarderont pas à suivre !

◆ *Le bain de rosée*[57]

Le citadin moyen est aujourd'hui coupé de la terre par le bitume, les chaussures et chaussettes, les étages, le béton armé, les moquettes… Il se prive ainsi des énergies telluriques essentielles à sa santé et à son équilibre énergétique et accumule, qui plus est, des charges d'électricité statique néfastes sur le plan neuropsychique et cellulaire.

Profiter de la rosée, les pieds nus, est une aventure délicieuse et euphorisante ! Rechercher des lieux sains, à l'herbe verte où à la terre fraîchement labourée et marcher, courir, danser, jouer avec le chien, les enfants ou qui que ce soit pouvant partager cette joie simple mais authentique d'une réconciliation avec Gaïa, la Mère Terre.

Il est même possible de se rouler dans l'herbe humide, le corps nu.

Debout, plonger des racines imaginaires jusqu'à la roche et jouir du sentiment de stabilité, d'ancrage… Se sentir *respirer* par les pieds. Ivresse holistique garantie !

---

[57] Extrait de *Encyclopédie de revitalisation naturelle,* éd. citée.

Le soleil

S'il nous semble important de responsabiliser le grand public à propos des méfaits de l'abus des expositions solaires, la *diabolisation* du soleil, fort médiatisée depuis quelques années, va à l'encontre de toutes les conceptions hygiénistes traditionnelles.

Heureusement, de bons ouvrages enseignent aujourd'hui comment profiter des bienfaits de l'ensoleillement rationnel[58] : protéger correctement sa peau et s'exposer aux heures matinales, cela peut participer d'une véritable revitalisation organique, fonctionnelle et psychologique.

Le soleil est en effet bien plus que notre ami, il demeure la source de toute vie pour les règnes habitant notre planète. Correctement utilisé, l'ensoleillement participe activement, par exemple, à la guérison de troubles osseux, cutanés, métaboliques (sanguins et hormonaux notamment, mais aussi de certains cancers) et dépressifs.

[58] Dr Damien Downing & Jean Celle, *Soleil vital,* Éditions Jouvence, 2002. Dr Camus, *L'homme, le soleil et la santé,* Éditions Prosveta, 1980.

L'argile

Connue comme l'une des plus anciennes méthodes de soin chère aux civilisations passées, l'argilothérapie rend encore de grands services en naturopathie. Telle une essence noble de la terre, l'argile porte en elle l'esprit du tellurisme, un peu de sa puissance, de son magnétisme, de sa stabilité, de ses forces transformatrices et régénératrices.

◆ *Le lait d'argile*

1 à 3 cuillères à café d'argile blanche ou verte surfine dans de l'eau. Agiter rapidement et boire le tout.

◆ L'*eau d'argile*

Laisser macérer 1 cuillère à soupe d'argile dans un verre d'eau toute la nuit. Ne boire l'eau que le matin suivant.

- Par *voie interne*, ne pas utiliser le lait d'argile en cas de constipation ni – surtout – chez les personnes consommant de l'huile de paraffine (risques d'occlusion). Le réserver surtout aux cas d'inflammations gastriques, duodénales ou intestinales, ainsi qu'aux cas de diarrhées vraiment rebelles (lorsqu'on a épuisé toutes les autres méthodes de normalisation du transit).
- En *cures de désintoxication générale,* on pourra employer seulement l'eau d'argile, qui potentialisera l'effet dépuratif d'autres plantes, de jus de légumes ou de fruits, de monodiètes ou cures de jeûne.
- Quant aux prétendues *vertus reminéralisantes* de l'argile, aucune étude sérieuse n'a prouvé cette action, à ma

connaissance. Désolé pour les croyances des intégristes faisant de l'argile une panacée !

- Par *voie externe,* les cataplasmes sont anti-inflammatoires, antalgiques, voire régénérateurs des tissus (arthrite, arthrose, œdèmes, tendinites, blessures...). Pour des bénéfices articulaires, on peut conseiller souvent de les alterner avec des cataplasmes de feuilles de chou préalablement incisées finement, pour faciliter les effets de la sève.

Les cures de jeûne et les cures saisonnières

« *Quand le corps est chargé d'humeurs impures, faites-lui supporter la faim : elle dessèche et purifie* », conseillait Hippocrate.

2300 ans plus tard, le Dr Guelpa confirme : « *Les quatre cinquièmes des maladies sont dus directement ou indirectement aux produits toxiques provenant des fermentations et des putrescences gastro-intestinales causées par des excès alimentaires ou plus fréquemment encore, par une alimentation irrationnelle. Le jeûne est la méthode souveraine pour recouvrer alors la santé.* »

◆ *Jeûner, c'est mettre au repos le corps et lui permettre un temps d'auto-régénérescence*

Sans plus d'effort digestif, ni mécanique, ni sécrétoire, ni nerveux, l'organisme peut librement économiser une quantité insoupçonnable d'énergie et la consacrer aux émonctoires (purification, élimination, filtrage) et réfections tissulaires (régénération, normalisation métabolique). Voila le secret du jeûne : utiliser intelligemment une énergie libérée de la table au profit de la santé : « *L'organisme n'ayant pas à assimiler peut se consacrer uniquement à ses fonctions d'élimination et de régénération* », affirmait le Dr Ribollet.

On assiste donc à un fabuleux travail de recyclage, inversement proportionnel à la qualité vitale des tissus, les organes nobles n'étant pratiquement pas *autolysés* après 40 jours de jeûne. On note aussi d'une « remontée dans le temps » souvent spectaculaire, les surcharges se trouvant en effet peu à peu libérées et éliminées des plus récentes aux plus anciennes.

À la lumière des recherches liées aux travaux de nombreuses thèses de doctorat en médecine publiées à ce jour, nous pouvons affirmer que le jeûne correctement conduit n'est pas une mise en danger de notre santé, bien au contraire. Le jeûne, vécu dans de bonnes conditions climatiques et psychologiques, s'étalant (sous l'étroite surveillance de praticiens spécialisés) de 3 à 40 jours selon les individus, n'affecte aucunement la vie.

- **Les véritables dangers du jeûne** sont essentiellement liés à des expériences non accompagnées par des praticiens expérimentés, à de mauvaises conditions climatiques (trop froid ou canicule), psychologiques (grèves de la faim, profil phobique ou névrotique alimentaire, conflit avec les proches…) ou à un fanatisme trop souvent rencontré encore aujourd'hui dans les milieux hygiénistes intégristes.
- **Des contre-indications absolues** ? Diabète maigre, grossesse (au-delà de 24 heures), malades épuisés, dévitalisés, anergiques, peur du jeûne (phobie alimentaire ou morbide, contraintes), malades sous médications chimiques lourdes (par potentialisation des médicaments et iatrogénicité incontrôlable), myopathies, néphropathies (insuffisances rénales vraies), cancer et toutes maladies lourdes

si le potentiel énergétique est péjoratif (pas assez de force vitale = pas d'autoguérison).

- **Des contre-indications relatives ?** Hypotension artérielle non chronique, maigreur installée (bien que de petits jeûnes aient parfois stimulé spectaculairement des reprises de poids en favorisant les processus d'assimilation digestive), névrose dépressive, névrose anxieuse, boulimie, anorexie, travail recourant à la force, cirrhose évolutive, tuberculose évolutive…
- **Combien de temps ?** On ne prévoit pas la durée de son jeûne, car c'est toujours l'organisme qui décide. Toutefois, il est habituel de se préparer à des jeûnes dits « courts » (d'un jour à une semaine), « moyens » (d'une semaine à 14 jours) ou « longs » (au-delà de 2 semaines).[59]

◆ *Les cures saisonnières, quant à elles, sont des pratiques ouvertes à tous*

Avec un peu de bon sens et de discernement, chacun pourra en profiter rapidement. Il s'agit de profiter le plus possible des fruits ou légumes de saison, soit en en consommant systématiquement à chaque pause « fruits » de 11 heures et 17 heures, soit en pratiquant des monodiètes sur quelques soirées, voire quelques jours.

Pour exemples :

[59] Pour en savoir plus, lire de Daniel Kieffer, *L'homme empoisonné*, Éditions Grancher, 1994. Pour découvrir les bienfaits du jeûne associé à la randonnée, voir *L'amandier*, Pierre Juveneton.
Tél. +33 (0)4 05 76 40 89 ou site : www.jeune-naturopathie.com/

- **Printemps :**
  - **Jus de plantes** telles que plantain, ortie, prêle, bourse à Pasteur, pissenlit, cardamine des prés, bardane, berce spondyle… (à l'extracteur de jus Green Power, voire achetées en magasins de santé).
  - **Jus de pousses de blé ou d'orge** (*Green Magma* et *Green Kamut* sont excellents[60]), « bourrés » de chlorophylle, d'enzymes et d'oligoéléments.
  - **Jus de légumes frais** tels que chou, céleri, fenouil, navet nouveau, carotte, betterave rouge, panais… (à la centrifugeuse ou mieux à l'extracteur, voire achetés en flacon, de préférence lacto-fermentés : Breuss, Biotta, Salus, Schoenenberger, Kneipp…).
  - **Fruits rouges :** fraise, myrtille, cerise, canneberge… seulement pour celles et ceux ne craignant pas l'acidité des fruits.
  - **Légumes chauds** pour les plus frileux : asperge, poireau et fenouil en particulier…
  - Eau **Hydroxydase :** 3 flacons par jour de cette merveilleuse « eau anti-âge » pendant un mois[61]. Elle est souveraine pour drainer quelques kilos et les surplus de cholestérol, d'urée ou d'acide urique, tout en rechargeant l'organisme en minéraux antistress et antidéprime.
  - Eau **Microfluid**[62] : 2 flacons par jour de cette eau aux coordonnées uniques[63] (pH 6 = idéalement acide ; Rh2 25,9 = très peu oxydé ; Ro 860 000 = d'une rare

[60] *Green Kamut* de Algo Tonic – 6, Parc des Fontenelles – F-78870 Bailly).
[61] Sauf en cas d'hypertension artérielle non stabilisée, d'insuffisance rénale vraie et de régime sans sel.
[62] Microfluid Biotechnology – F-06560 Sophia Antipolis. Via les parapharmacies, le télé-achat et les magasins Lafayette Gourmet ou Bon Marché (Paris).
[63] Mesures bioélectroniques selon le Pr Louis-Claude Vincent.

pureté). S'ajoute à ses qualités bioélectroniques son exceptionnelle structure « clustérisée », c'est-à-dire en grappes micropolymérisées, à la façon des eaux d'orage ou jaillissantes de leur source. Une eau vraiment hydratante et « vivante » !

- **Été**
  - **Fruits frais :** pêche, mangue, papaye, melon, pastèque…

- **Automne**
  - **Raisins :** exceptionnelle cure uvale, traditionnellement très appréciée des hygiénistes !
  - **Jus de légumes frais.**
  - Eau **Hydroxydase** ou/et eau **Microfluid.**

- **Hiver**
  - **Bananes** crues ou cuites : à la coque, au four, en papillote.
  - **Céréales :** riz mi-complet, quinoa, sarrasin, millet…
  - **Pommes de terre/patates douces.**
  - **Soupe** de légumes verts.
  - **Jus de pousses de blé ou d'orge :** *Green Magma*.[64]

Régulièrement intégrées dans son hygiène de vie, toutes ces cures participeront très activement à équilibrer la qualité des humeurs corporelles (sang, lymphe, liquides interstitiels et intracellulaires) de l'Homme heureux, qualité indissociable de sa santé biologique.

[64] *Green Kamut*, de Algo Tonic (adresse citée plus haut).

L'art

Que ce soit comme pratique de loisir ou de développement personnel, la **créativité** n'est pas réservée aux artistes confirmés. Très souvent, c'est grâce à l'**art-thérapie** ou plus simplement à du temps que l'on s'accorde pour peindre, écrire, modeler, sculpter, chanter… que nous avons pu constater le retour à la santé de nombre de personnes dépressives, inhibées, phobiques.

Oser créer et dépasser ses craintes et maladresses est un cheminement d'expression, d'auto-analyse, de connaissance de soi, d'épanouissement. Plus encore, pour l'Homme heureux, l'**accès au beau** est une nourriture essentielle de l'âme qui y retrouve la respiration de sa source spirituelle.

Or, si l'environnement moderne des cités oblige trop souvent les citadins à faire le deuil des grands espaces et paysages, tous étant une source d'esthétique naturelle (couleurs, silhouette, flore et faune des montagnes, forêts, océans, fermes, réserves, parcs ou jardins…), il lui impose aussi la froideur morbide et délétère du béton. Alors, les yeux subissent, consciemment ou non, les spectacles quotidiens qu'on leur impose, et communiquent au psychisme les valeurs esthétiques des formes, des proportions, des matériaux et des couleurs. Ces valeurs sont porteuses de forces constructives, destructives ou génératrices de chaos, encourageantes ou décourageantes.

Au-delà du personnel, c'est alors tout l'inconscient collectif qui est peu à peu pétri d'informations positives ou négatives, à l'exacte mesure du talent ou du génie de tel architecte, de la proportion des espaces verts accordés aux villes, sans même parler de la concentration des pollutions propres aux grandes cités.

Dans ce contexte, il devient vital de **se ressourcer hors des villes** et d'améliorer de son mieux ce qui peut s'offrir à nos yeux chaque jour. Faute de changer l'environnement, apprenons à **moduler l'esthétique de notre habitat ou de notre bureau**, et choisissons des matériaux nobles, des couleurs adaptées à chaque pièce, des musiques, des parfums, des décorations qui nous sont chères : plantes vertes, fleurs, tableaux, miroirs… Au besoin, ne pas hésiter à demander les conseils d'un bon **spécialiste en Feng Shui.**

Rappelons-nous que les philosophes platoniciens évoquaient l'esthétique comme étant la fille de la *logique* et de l'*éthique*… Se seraient-ils trompés ou aurions-nous oublié le sens précieux de leur message initiatique ?[65]

[65] Une « tête bien faite » s'ouvre à la sagesse (lucidité, discernement, intellect lumineux) : c'est ici la logique des Grecs. Un « cœur noble et pur » s'ouvre à l'amour, à la joie, à la chaleur de la compassion et du pardon : c'est ici l'éthique des Grecs. Du mariage spirituel de ces deux fonctions naît tout naturellement l'esthétique, censée incarner un peu du Beau primordial, les archétypes célestes sur terre, propres à inspirer aux humains une action juste.

Les voyages

Ils ne forment pas que la jeunesse, ils sont aussi profitables à tous les âges de la vie. Si chacun peut y trouver une source pour grandir culturellement, les voyages sont avant toute chose l'opportunité de dépaysements, de découvertes, d'échanges humains.

Que les limitations budgétaires ne soient pas un obstacle car, à très peu de frais, beaucoup pourront déjà faire l'expérience de merveilleux petits voyages ou excursions sur le territoire national, voire dans leur département ! De plus, beaucoup de sites Internet offrent aujourd'hui des billets de train, de bateau ou d'avion à prix vraiment bradés !

Voyager, c'est jouir d'une liberté qui fertilise l'esprit comme le cœur de l'Homme heureux. C'est aussi faire l'expérience inégalable des différences – de langue, de mœurs et coutumes, de comportements alimentaires et humains – et donc apprendre à relativiser son propre mode de vie. C'est une belle école d'humilité et de tolérance, indispensables valeurs pour la santé psychologique et sociale !

Les formations

L'Homme heureux ne se satisfait pas de ses acquis – fussent-ils scolaires, universitaires ou professionnels – mais cherche sans cesse à se parfaire, à améliorer ses connaissances, à multiplier ses expériences, que ce soit sur le mode du *savoir* comme du *savoir-faire* et du *savoir-être.*

Heureusement, de nos jours, l'accès aux formations est aisé et les choix sont innombrables. Des stages qualifiants aux séminaires de développement personnel, de simples conférences aux reconversions diplômantes, l'important est en fait de s'impliquer périodiquement dans une démarche de croissance qui nourrisse son plus haut idéal, et ceci quel que soit son âge, bien entendu !

La vie associative

Depuis la fameuse loi de 1901, la France est deuxième, après les États-Unis, sur le plan de la dynamique associative. Ce cadre très ouvert permet à tous de s'engager, à son propre rythme, dans une action collective, en puisant dans le groupe une occasion chaleureuse de se rendre utile autour d'un objectif commun. Là encore, les choix sont nombreux et pourront répondre à nombre de personnes souhaitant faire l'expérience d'un partage, d'une recherche ou plus simplement d'un laps de temps plaisant. Qui ne connaît pas près de chez soi une association sportive, culturelle, humanitaire ou ludique ?

Et si la vie associative était aussi une facette spécifique aux nouvelles énergies spirituelles du IIIe millénaire, énergies que certains considèrent comme étant propres à l'*ère du Verseau* naissante ?

L'engagement biopolitique

Dans ce même esprit, il est de nos jours devenu pertinent et évident que la santé de l'individu est indissociable de celle de notre planète bleue. Certes, c'est trop souvent confronté aux tristes réalités catastrophiques que l'on prend conscience des interactions intimes liant l'individu à l'environnement. Toutefois, souvenons-nous que si le discours écologique faisait sourire dans les années 60, il est devenu incontournable dans les programmes de tous nos hommes politiques, tout du moins dans les belles paroles précédant leurs élections !

L'Homme heureux n'a pas besoin des mots séducteurs des décideurs pour être conscient de l'urgence à mieux consommer et recycler, à moins gaspiller, à prendre soin de la Terre comme de lui-même.[66] Il possède *le savoir, le senti et le ressenti* de tout ce qui le lie au monde, aux éléments, à tous les règnes de la création.

Il explore aussi la face cachée de l'information et, sans nourrir une attitude paranoïaque, il sait que les coulisses de la politique mondiale ne sont pas toujours ce que l'on croit.[67]

Mieux encore, il se sait profondément impliqué dans tous les phénomènes de cause à effet, nommés poétiquement par certains « effet papillon » : celui qui cueille une fleur dérange-t-il vraiment une étoile ? Un battement d'aile de papillon peut-il vraiment engendrer une tornade à l'autre bout du monde ? Les sages en font une évidence, bien conscients qu'ils sont des réalités subtiles qui se tissent entre les êtres et leurs actes (karma), ceci les rendant particulièrement *responsables* sur tous les plans de l'existence.

---

[66] Pour unique exemple, trois quarts des cancers seraient aujourd'hui liés aux pollutions environnementales, selon le Pr Dominique Belpomme !

[67] Parmi les ouvrages de la bibliographie, lire ceux marqués d'un astérisque (*).

CONCLUSION

◆ *Oser jouir sans conscience coupable de cette qualité de vie*

Et si l'un des secrets du bonheur résidait dans la permanente jouissance d'un présent rendu pleinement conscient, dans l'*ici et maintenant* des sages, au cœur de cette *vivance présentielle*[68] enseignée en sophrologie ?

Trop simple, diront certains.

Trop provocateur, répondront d'autres, choqués par le mot de Swami Ramdas : « *La réalisation est comparable à un permanent orgasme !* »

Pourtant, il nous appartient de nous départir peu à peu de la culpabilité de jouir pleinement de notre vie, libérés des regrets ou des nostalgies comme des projections en un futur toujours incertain. Le présent devient alors la seule réalité inaliénable, creuset alchimique où peut s'expérimenter une indicible extension du temps aboli, telle une brèche d'authentique éternité déployée.

[68] Expression d'Alfonso Caycedo, fondateur de la sophrologie en 1960.

Néanmoins, cette conscience d'être[69] ne doit pas nous couper de notre mémoire – car le passé demeure porteur d'irremplaçables acquisitions et de précieuses leçons de vie – ni nous démobiliser de nos projets et aspirations, car ces derniers peuvent s'y inscrire tels des regards toujours tendus vers notre idéal en construction permanente.
Parions que tout le ciel se réjouit de notre joie !
L'Homme heureux fait l'expérience de la nouvelle qualité de vie qu'il s'accorde, sachant non seulement que sa joie est vite communicative, mais aussi que son bonheur, s'il est une grâce en son existence, lui permet de vibrer et de rayonner en santé, telle une cellule appartenant à plusieurs grands corps : familial, social, humanitaire ainsi que cosmique. L'un de mes bons maîtres en philosophie aimait ainsi à répéter malicieusement : « *Vous finirez toutes et tous par être heureux, un jour ou l'autre, et probablement dans quelques vies d'ici… alors commencez de suite !* » À méditer…

- **Prendre du temps pour soi** est sain, légitime et réellement indispensable à une bonne gestion de sa vie quotidienne. S'accorder du temps, c'est en effet se respecter, respecter les rythmes naturels de l'alternance et respecter la circulation harmonieuse de la vie en soi. Très souvent, on remarque que ce simple conseil détermine la réussite ou l'échec des cures naturopathiques lors des premières consultations.
Le balancement harmonieux des jours et des nuits, le rythme des saisons, des marées, des pulsations cardiaques, des inspirations et expirations, tout comme le mouvement cyclique des astres sont ainsi un appel à intégrer des plages de temps pour soi et pour les autres. Comment me

[69] « Êtreté », de Marie-Thérèse Davy. « Dieu au cœur de mon souffle », de K. G. Dürkheim.

dépenser si je ne me recharge pas régulièrement ? Comment bien donner si je suis vide ou déchargé ?
Le psalmiste invite à cette sage mise en réceptivité du souffle de vie, lorsqu'il chante à son créateur : « *Tu oins d'huile ma tête et ma coupe déborde.* » Loin de devenir une attitude égocentrique, comprenons que cette attitude nous responsabilise et nous accorde d'accéder à l'indispensable plénitude, à partir de laquelle il est enfin possible de rayonner tel un soleil, en un nécessaire *débordement* d'amour (aimer son prochain comme soi-même).

◆ Oser introduire du sacré en toute chose

« *Ne doute pas de l'aide de Dieu, si tu fais selon Sa volonté, car Il veut qu'en cette époque le monde se transforme par un changement des coutumes, par la forme réparatrice de la Lumière et du Feu de l'Amour éternel.* »

Vincent Van Gogh

On l'aura compris, bien des choses dans la journée de l'Homme heureux se déclinent sur un mode inspiré de méthode, voire de ritualisation de son comportement. Loin d'y voir un système clos ou étouffant, il s'agit pour autant d'y trouver un indispensable cadre, une cohérence jamais aliénante dans laquelle faire épanouir sa propre dynamique et sa liberté créatrice.
L'essentiel demeure probablement de retrouver en soi l'évidence d'un comportement responsable, serein et toujours ouvert sur les autres et sur le monde. Pour ce faire, l'introduction du sacré dans la vie quotidienne nous semble un *Sésame* exceptionnel, qui, bien que sans aucune couleur religieuse particulière, peut ouvrir à une nouvelle et incomparable qualité de vie. Celle-ci peut alors s'épanouir

pleinement dans les dimensions subtiles de la nutrition, de la respiration, des ablutions ou de la sexualité par exemple, et satisfaire non seulement les sens et la santé du corps, mais aussi les appétits et les soifs de l'âme et de l'esprit.
Pour illustrer avec un ultime exemple cette ouverture, évoquons à nouveau Gibran lorsqu'il parle de manger un fruit sur le mode fusionnel :

« Lorsque vous mordez une pomme à pleines dents, dites-lui en votre cœur : "Tes semences vivront en mon corps, et tes bourgeons et tes lendemains fleuriront dans mon cœur, et ton parfum sera mon haleine, et ensemble, nous nous réjouirons en toutes saisons…" »

◆ La journée de l'Homme heureux : *une invite à changer son comportement*

Bien des écritures parlent du nécessaire avènement d'un « nouveau ciel et d'une nouvelle terre ». L'Homme heureux a longuement médité sur les mystères de cette formule hermétique et il sait que c'est en sa conscience et en celle des générations à venir que peut se réaliser un peu de ce *nouveau ciel :* le ciel d'une pensée lumineuse, étoilée de sagesse, de discernement et de lucidité. *« Chevauche bien ta tête et voyage librement »,* écrivait Gœthe en évoquant cette faculté nécessaire à l'homme en santé, libéré des croyances négatives, des pensées erronées, des doutes qui inhibent et des dogmes qui sclérosent.
Quant à la *nouvelle terre,* il s'agit bien de nos actes et de tout notre comportement qui nous engagent, effectivement, au quotidien, telles des graines semées dont nous et nos descendances récolterons des fruits amers ou délicieux.
À l'adage rabelaisien : *« Fais ce que tu voudras »* dit en son Abbaye de Thélème, nous préférons *in fine* le délicieux mot

de Saint Augustin : *« Aime et fais ce que tu voudras »*, ceci afin de demeurer joyeusement sous la coupe et le garde-fou de l'Amour inconditionnel, probablement le seul vrai maître thérapeute lorsqu'il s'applique au respect et à la responsabilité de soi, de son prochain et de notre belle planète bleue.

Dans cette perspective, puissent les conseils naturopathiques proposés dans ce modeste ouvrage devenir autant de bonnes graines de métamorphose, diffusées au vent nouveau de la santé authentique et de la fraternité humaine !

Excalibur

(Avec l'aimable autorisation de l'artiste, Eve Susini)

REMERCIEMENTS

En respectueux hommage à Benedict Lust, John Scheel et Henri Lindlhar, fondateurs de la naturopathie mondiale.

Je salue aussi chaleureusement l'enseignement des différents maîtres, enseignants ou thérapeutes, frères aînés sur le chemin, auprès desquels j'ai pu tant recevoir de l'art d'apprendre pour enseigner et d'enseigner pour apprendre :

Par ordre chronologique, Lanza del Vasto, Jean Goss, Krishnamurti, Jean-Claude Maudet, Aline Despeisse Lainé, Claude Barreau, Karuna, Taisen Deshimaru, Matthew Manning, Karlfried Graf Dürckheim, André van Lysbeth, Pierre Valentin Marchesseau, Alain Rousseaux, André Roux, Père Émile Tillet, Bernard Alexandre, Hella Tulman, Lydia Sébastien, Pierre Franchomme, Dr Daniel Delbecq, Jacques Demica, Dan Nicolle, Michel Grenard, Matthew Manning, Père François Brune, Marguerite Kardos, Roger Clerc, Swami Satyananda Sarasvati, Micheline Flak, Dr Janine Fontaine, Patrick Camus, Yvette Godefroy, Iegor Reznikoff, Arnaud Desjardins, Marguerite Kertant, René Sampieri, Jacques Dropsy, Dr Christian Assoun, Henri Dhoste, Omraam Mikaël Aïvanhov, Monseigneur Georges Roche, Jean-Pierre Delecourt, Jean-Yves Leloup, Gérard et Françoise Sueur, Jacques Salomé, Judith Henry, Fabien Maman, Marc Scialom, Béatrice Brout, Pr Joël Sternheimer, Monseigneur Charles Raphaël Payeur, frère Patrick, Maîtres Li et Zu, Patrick Drouot, Pr Yves Augusti…

SOURCES ET RÉFÉRENCES

Laboratoires

Les adresses des différents laboratoires cités dans le texte sont amenées à changer, hélas, fréquemment. En conséquence et si nécessaire, nous invitons les lecteurs intéressés à consulter leur conseiller en magasin d'alimentation saine, leur praticien de santé naturopathe, voire de faire leurs recherches personnelles sur Internet.

Merci de comprendre que nous ne pourrons assurer de réponse personnelle aux questions posées par courrier postal ou électronique.

Quelques sites à propos des médecines non conventionnelles

http://cenatho.free.fr (Collège européen de naturopathie traditionnelle holistique Daniel Kieffer)

http://ons-asso.org (Association pour le développement et la promotion de la naturopathie, journal, conférences)

http://fenahman.org (Fédération française de naturopathie)

http://www.naturopathe.net ou http://www.omnes-asso.org (OMNES : Association à vocation syndicale des professionnels)

http://www.medecines-douces.com/annuaires/an_homeo.htm (Annuaire pour l'homéopathie, la sophrologie et autres médecines non conventionnelles)

http://www.medecines-douces.com/impatient (Revue *Alternative Santé* et livres)

http://www.professeur-joyeux.com/ (Cancérologie, bio-éthique, famille, nutrition)

http://www.doctissimo.fr/html/sante/sante.htm (Vulgarisation des médecines douces)

http://www.naturmed.com (Idem)

http://www.who.int (Site de l'OMS, publications)

http://www.eesnq.org (EESNQ : notre partenaire comme école de naturopathie au Québec)

http://www.naturopatia.it/scuola_tradizionale.htm (LUINA : notre partenaire comme école de naturopathie en Italie)

http://www.naturopathy.org.uk (Registre des naturopathes en Grande-Bretagne)

http://www.naturopathic.org (Registre des naturopathes aux États-Unis)

http://formateur69.free.fr/diet/tablecompo.htm (Tables de composition des aliments)

http://membres.lycos.fr/resister/additifs/5-divers.html (Additifs alimentaires)

http://www.meddean.luc.edu/lumen/MedEd/GrossAnatomy/anatomy.htm (Anatomie humaine)

http://artac.info/static.php?op=Accueil.tx&npds=1 (ARTAC : cancer et environnement, travaux du Pr Belpomme)

http://www.sooaf.com/bouteilles.htm (Eaux de source)

http://archives.arte-tv.com/hebdo/archimed/20010918/ftext/# (Archives scientifiques)

http://www.servicevie.com/01Alimentation/GuideAliment/GAf_TH/TH12.html (Guide des aliments)

http://www.reseauproteus.net (Réseau Protéus, banque de données des médecines douces francophone)

http://www.posturomandibulogie.fr (Dentisterie énergétique)

http://www.aprifel.com/ (nutrition fruits et légumes)

Quelques ouvrages et association de référence : naturopathie, nutrition, hydro-thérapie, psychologie, environnement...

Arsenault C., *Accueillir son enfant naturellement,* Le Dauphin blanc, 1999.

Arsenault C., *La médecine du bon sens,* Le Dauphin Blanc, 1999.

Barreau C., *Le manuel de la vie naturelle,* Belfond, 1985.

Belpomme D., *Les grands défis de la politique de santé en France et en Europe,* Librairie de Médicis, 2005.

Belpomme D., *Guérir du cancer ou s'en protéger,* Fayard, 2005.

(*) Belpomme D., *Ces maladies créées par l'homme,* Albin Michel, 2005.

Bensabat et al., *Stress,* Hachette, 1994.

Bénesteau J., *Mensonges freudiens,* Mardaga, 2002.

Berthoud F., *Vacciner vos enfants ?,* Vivez Soleil, 1995.

Bertin S., *La naturopathie, clé de votre santé,* Le Dauphin blanc, 1999.

Bordeaux Szekely, *La vie biogénique,* Vivez Soleil, 1984.

Bressy P., *La bioélectronique et les mystères de la vie,* Le Courrier du Livre, 1980.

Brun C., *Le cholestérol... exactement !,* Jouvence, 1999.

Brun C., *Le diabète exactement !,* Jouvence, 2000.

Brun C., *Le pouvoir psychique des aliments,* Jouvence, 2001.

Brun C., *Les clés d'or d'un bon sommeil,* compte d'auteur, 1999.

Carton Dr P., *Traité de médecine, d'alimentation et d'hygiène naturistes* et *L'art médical,* Éd. Paul Carton, 1920 et 1943.

Clement B., *Alimentation vivante pour une santé optimale,* Trustar, 1997.

Club du vin authentique (Adresse de l'Association : 133, rue Quesnel – F-14200 Hérouville-Saint-Clair).

Coquet M., *Lumières de la Grande Loge Blanche,* L'Or du Temps, 1982.

(*) Collectif d'auteurs, *Livre jaune,* t. V, VI, VII..., Éd. Félix ou Lux Diffusion, 1997-2004.

Corvaisier Ch. et A., *B.A.-BA de la naturopathie,* Pardès, 2003.

(*) De Bardo L., *Vitalité et graines germées* (56, rue de Dunkerque – F-75009 Paris).
(*) De Brouwer L. B., L*a dictature des laboratoires chimiques et pharmaceutiques,* Astra, 1994.
(*) *De Jundi Shapur à Silicone Valley* (anonyme), Les Trois Arches, 1991.
Desjardins A., *Pour une vie réussie, un amour réussi,* La Table Ronde, 1990.
Deunov P., *Œuvres complètes,* Le Courrier du Livre.
Dürckheim K., *Exercices initiatiques en psychothérapie,* Le Courrier du Livre, 1985.
Dürckheim K., *Le maître intérieur,* Le Courrier du Livre, 1987.
Emmanuel R., *Réconciliation avec la vie,* Dervy, 1985.
Encausse P., *Le maître Philippe de Lyon,* Éditions Traditionnelles, 1990.
Favre E., « La thérapie par les enzymes », in *Énergie Santé,* Sully.
(*) Félicien, *La rose de Notre-Dame,* Éd. Du Mambré, 1994.
Flèche C., *Décodage biologique des maladies,* Souffle d'or, 2004.
Franchomme P., *L'aromathérapie exactement,* Roger Jollois, 2001.
Gagnon A., *La santé par la naturopathie,* La Liberté, 1989.
Gibran K., *Le prophète,* Denoël, 1980.
Hay L., *Transformez votre vie,* Vivez Soleil, 2000.
Heindel M., *Œuvres complètes,* Maison rosicrucienne, 1980.
Heindel M., *Santé et guérison,* Maison rosicrucienne, 1980.
Jaison L., *Comment perdre sa santé,* F.X. de Guibert, 1995.
Joyeux H., *Changer d'alimentation,* F.X. de Guibert, 1992.
Krishnamurti, *La révolution du réel,* Le Courrier du Livre, 1979.
Kühne L., *La nouvelle science de guérir,* Cevic, 1978.
L'initié (anonyme), 3 volumes, La Baconnière, 1964.
(*) Lanctot G., *La mafia médicale,* Clé, 2000.
Lanza del Vasto, *Principes et préceptes du retour à l'évidence,* Denoël, 1945.
Léaud-Zachoval D., *La naturopathe au quotidien,* Quintessence, 2002.
Lee J., *Équilibre hormonal et progestérone naturelle,* Sully, 1998.
(*) Le Ribault L., *Micropolis* (Adresse : LLRG5, C/o Ross Post Office, Castlebar, County Mayo, République d'Irlande).

Limoges C., L*a nouvelle option : naturopathie,* Trustar, 1995.
Lindlahr H., « Cours de naturothérapie », *Vie et Action,* HS n° 97 bis, 1983.
Magny J.-C., *La naturopathie apprivoisée,* De Mortagne, 1996.
Marchesseau P.V. & Jauvais G., *Cours complet de biologie naturopathique,* Série Radieuse, 1970.
(*) Meurois-Givaudan A., *Celui qui vient : Les dossiers sur le gouvernement mondial,* Amrita, 2000.
Murray M. & Pizzorno J., *A textbook of Natural Medicine,* WB Saunders Compagny, 1999.
Murray M. & Pizzorno J., *Encyclopedia of natural medicine,* Prima Health, 1997.
Newman Turner R., *La médecine naturopathie,* Québec-Amérique, 1985.
Nyholt D., *The Complete Natural Health Encyclopedia,* Global Health Ltd., 1993.
Perruca F. & Pouradier G., *Des poubelles dans votre assiette,* Michel Lafont, 1996.
Robard I., *La santé assassinée,* Ancre, 1992.
Robard I., *La santé hors la loi,* Ancre, 1991/1992/1994.
Robard I., *Médecines non conventionnelles et droit,* Litec, 2002.
Rousseaux A., *Retrouver et conserver sa santé par le sauna,* compte d'auteur, 1990.
Salmanoff Dr, *Secrets et sagesse du corps,* La Table Ronde, 1958.
Salomé J., *Parle-moi, j'ai des choses à te dire,* Éd. de l'Homme, 1990.
Salomé J., T'es toi quand tu parles, Éd. de l'Homme, 1994.
Schlemmer A. Dr, *La méthode naturelle en médecine,* Le Seuil, 1969.
Seignalet J., *Alimentation de la 3e médecine,* F.X de Guibert, 2002.
Siegel B., *L'amour, la médecine et les miracles,* Robert Laffont, 1995.
Simoneton C., *Guérir envers et contre tout,* Épi, 1992.
Singer C., *Du bon usage des crises,* Albin Michel, 2001.
Souccar T. & Curtay J.-P., *La bible anti-âge,* Albin Michel, 1997
Souccar T., *Le guide des nouveaux stimulants,* Albin Michel, 1998
(*) Souccar T. & Robard I., *Santé, mensonges et propagande,* Seuil, 2004.
Steiner R., *Œuvres complètes,* Triades.
(*) Van Helsing J., *Les sociétés secrètes,* Éd. Félix, 1995.

Venaille M.E., *La pollution dans votre assiette,* Calmann-Lévy, 1998.
Watts A., *Méditations créatrices,* Retz, 1980.
Wolff O., *Que mangeons-nous vraiment ?,* Les Trois Arches, 1998
Xantis, *Cure intestinale*
(BP 4 – F-24150 Lalinde – Tél. : 08 20 90 24 24)

ORIENTATIONS UTILES

La **FENAHMAN** – Fédération française de Naturopathie

Elle regroupe depuis 1985 les écoles – organisation et supervision des formations, déontologie, Livre Blanc (ouvrage à vocation politico-médiatique)... – l'association des professionnels (OMNES) et les sympathisants.

Adresse : BP 40027 – F-64 210 Bidart
Tél. : 05 59 41 81 09
Site : http://fenahman.org
E-mail : fenahman@free.fr

L'**OMNES** – Organisation de la Médecine naturelle et de l'Éducation sanitaire.

Association professionnelle de la naturopathie française, à vocation syndicale ; membre de la FENAHMAN, elle regroupe les praticiens et œuvre pour leur reconnaissance (assurances, assistance et conseils juridiques et administratifs...).

Adresse : BP 8608 – F-75362 Paris cedex 08
Tél. : 02 98 64 73 26
Site : www.naturopathe.net
E-mail : contact@omnes-asso.org

Le **CENATHO** – Collège européen de Naturopathie traditionnelle holistique

Dirigé par Daniel Kieffer, ce collège est avant tout un organisme de formation en naturopathie, mais aussi en sophrologie, conseil en magasin d'alimentation saine et techniques manuelles globales. On y consulte aussi des praticiens (sur rendez-vous) et on y trouve des livres et compléments alimentaires de qualité.

Adresse : 221 rue La Fayette – F-75 010 Paris
Tél. : 01 42 82 09 78
Site : http://cenatho.free.fr
E-mail : cenatho@free.fr

L'**association O.N.S.** – « Objectif : Notre Santé »

C'est une association (loi de 1901) qui organise des cycles de conférences parisiennes et publie un journal dans le pur esprit de la naturopathie française.

Adresse : 221, rue La Fayette – F-75 010 Paris
Tél. : 01 44 53 94 36
Site : http://ons-asso.org
E-mail : ons@ons-asso.org

À PROPOS DE L'AUTEUR

Daniel Kieffer est le fondateur du Collège européen de Naturopathie traditionnelle holistique® (CENATHO) et le créateur de cet enseignement original. Ce collège forme également, outre des praticiens de santé naturopathes à vocation professionnelle, des sophrologues, des praticiens en techniques manuelles et des conseillers en magasin de bio-nutrition.

Universitaire de 1968 à 1977 (Langues, Psychologie et Sciences de l'éducation), il fait sur lui-même l'expérience de presque toutes les médecines dites douces, et complète ses formations en naturopathie par des études de psychothérapie, aromathérapie, musicothérapie, iridologie, techniques manuelles et biothérapies, en France comme en Allemagne.

Pendant longtemps chargé de formation à la Croix-Rouge française, à l'École européenne d'Ostéopathie de Maidstone (G.B.) et à l'Institut supérieur de Psychologie de Paris VII, il intervient aujourd'hui au Collège ostéopathique de France, à l'Institut de Biokinergie et à l'École d'enseignement supérieur de Naturopathie au Québec.

Président de la FENAHMAN – fédération représentative de la profession auprès des patients et des pouvoirs publics –

il a participé à la création de l'Union européenne de Naturopathie (Bruxelles), est membre du Registre des praticiens de santé naturopathes de France et l'un des experts fédéraux pour la naturopathie nommés auprès des intergroupes santé du Parlement européen.

Formateur, consultant et psychothérapeute, il anime depuis 1976 des conférences, ateliers et stages, dirige la publication du journal *Objectif : Notre Santé,* afin de populariser le plus largement possible l'enseignement de santé naturelle et holistique auquel il consacre sa vie.

Autres ouvrages du même auteur

◆ **Aux Éditions Jouvence :**

Régénération intestinale, Éd. Jouvence, 2005 (voir ci-contre)

◆ **Chez d'autres éditeurs :**

Cures naturopathiques Éd. Grancher, 2005

Comment se régénérer pour bien vieillir ? Éd. Sully, 2004

Encyclopédie de revitalisation naturelle, Éd. Sully 2002

Guide personnel des bilans de santé. Encyclopédie des tests morphologiques, énergétiques, psychologiques et biologiques de terrain, Éd. Grancher 1998

L'homme empoisonné. Cures végétales pour purifier son corps et son esprit, Éd. Grancher 1994

Naturopathie, la santé pour toujours, Éd. Grancher, 1990

◆ **À compte d'auteur**

Vers l'idéal nutritionnel, corédigé avec Xavier Mauroy, André Dautzember et Claire Jouannet (épuisé)

Traité de biothérapie & dermatologie naturopathique, corédigé avec Christian Brun

Historique de la naturopathie, vitalisme et humorisme, corédigé avec Christian Brun (2 tomes)

Verbalchimie (recueil de poésies), Saint Germain-des-Prés, 1979 (épuisé)

Planches murales pédagogiques : cure de désintoxication, cure de revitalisation, associations alimentaires, bilan de santé naturopathique, origine des maladies

Cassettes audio de conférences publiques sur la naturopathie (plus de 100 titres)

Pour obtenir le catalogue des cassettes de conférences données par l'auteur depuis 1976, contacter Irène Kieffer par :

- e-mail : irenekieffer@free.fr
- ou via le répondeur : +33 (0)1 47 00 70 69.

Du même auteur...

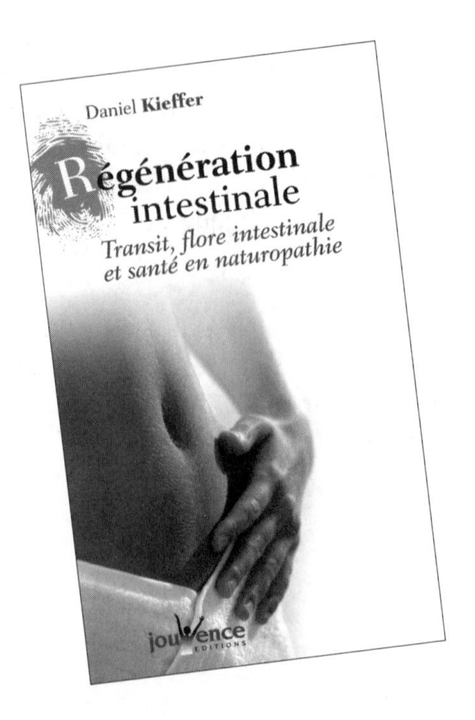

◆ Régénération intestinale

Transit, flore intestinale et santé en naturopathie

Daniel Kieffer

Oui, la maladie commence souvent dans le côlon ! Prendre soin de nos fonctions intestinales grâce à des solutions naturelles et optimisantes redonne vie à notre organisme : assimilation correcte, immunité, moral optimum sont à la clé.

Un livre plein de conseils à appliquer au quotidien !

192 pages • 14,90 € / 26 CHF

Également aux Éditions Jouvence...

◆ Petit traité de naturopathie

à l'usage des malades qui veulent retrouver la santé et des bien-portants qui veulent le rester

Christopher Vasey

Préface de Daniel Kieffer

Plutôt que de chercher à éliminer les signes de la maladie comme le fait la médecine allopathique, la naturopathie propose une autre approche de la maladie qui vise à en comprendre et à en éviter les causes.

Conseils précieux, lexique des concepts naturopathiques usuels et bibliogrpahie font de ce livre le compagnon quotidien de qui respecte sa santé !

160 pages • 14,50 € / 25 CHF

Achevé d'imprimer sur rotative par l'imprimerie Darantiere à Dijon-Quetigny
en mars 2007 - Dépôt légal : mars 2007 - Numéro d'impression : 27-0456

Imprimé en France